風俗訳譜

山井基清著

岩波書店

『風俗古譜』多忠昭氏蔵　高さ27.3cm

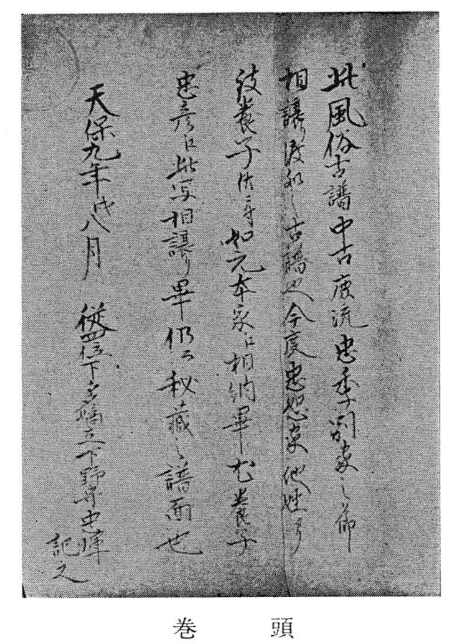

此風俗古譜中古庶流忠季[illegible]家之[illegible]
相譲り彼家之古譜也今度忠恕家他姓ヲ
続養子仕ニ付如元本家ニ相納畢亡養子
忠彦ニ此家相譲り畢仍ニ秘蔵之譜面也
天保九年戊八月
従四位下多[illegible]下野守忠[illegible]
記之

巻　　頭

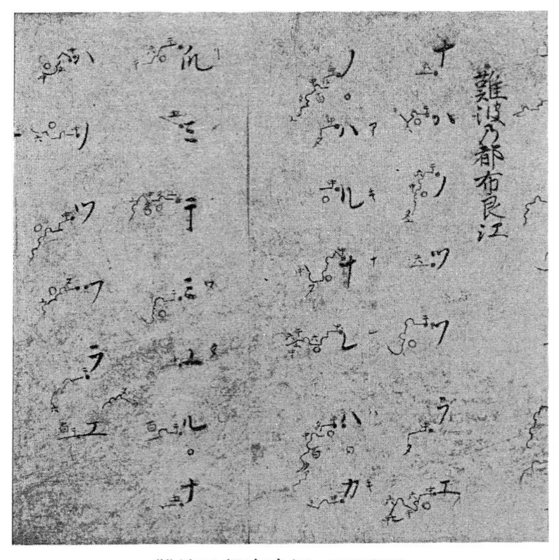

難波乃都布良江　8頁参照

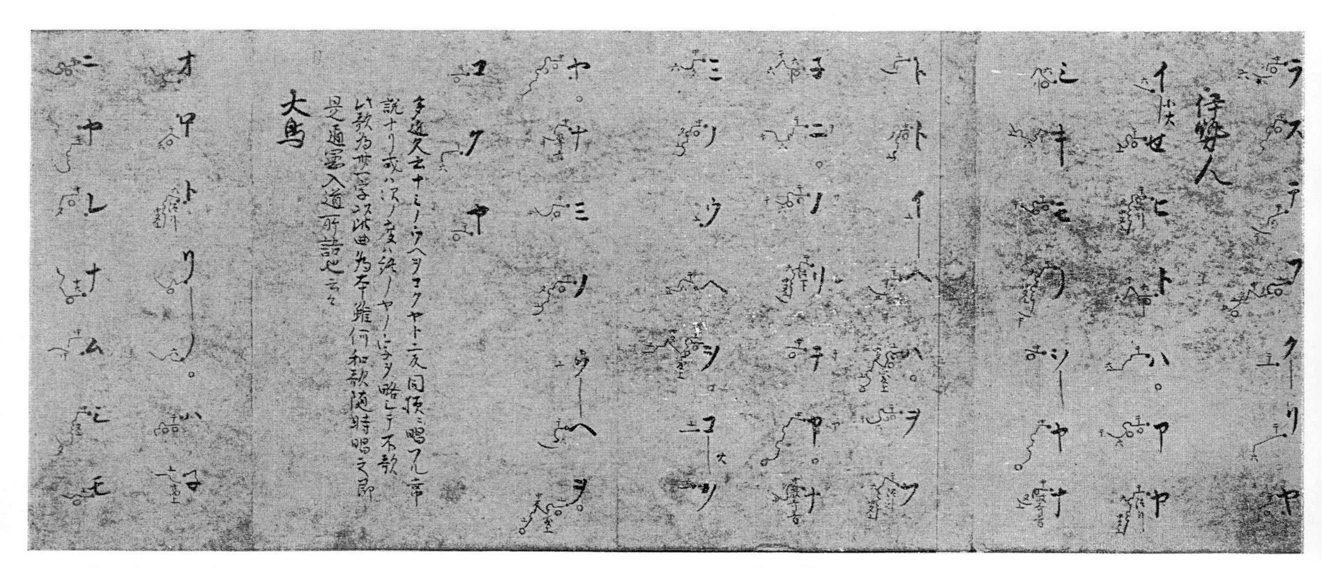

大　鳥　26頁参照

伊　勢　人　24頁参照

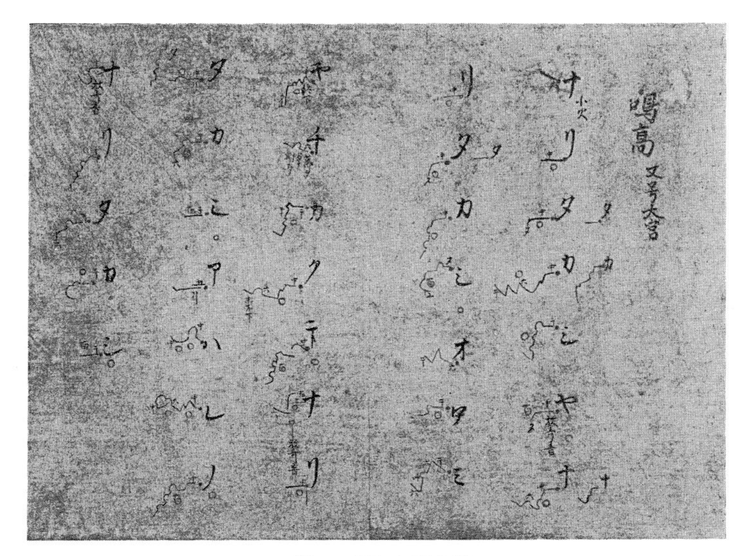

鳴　高　3頁参照

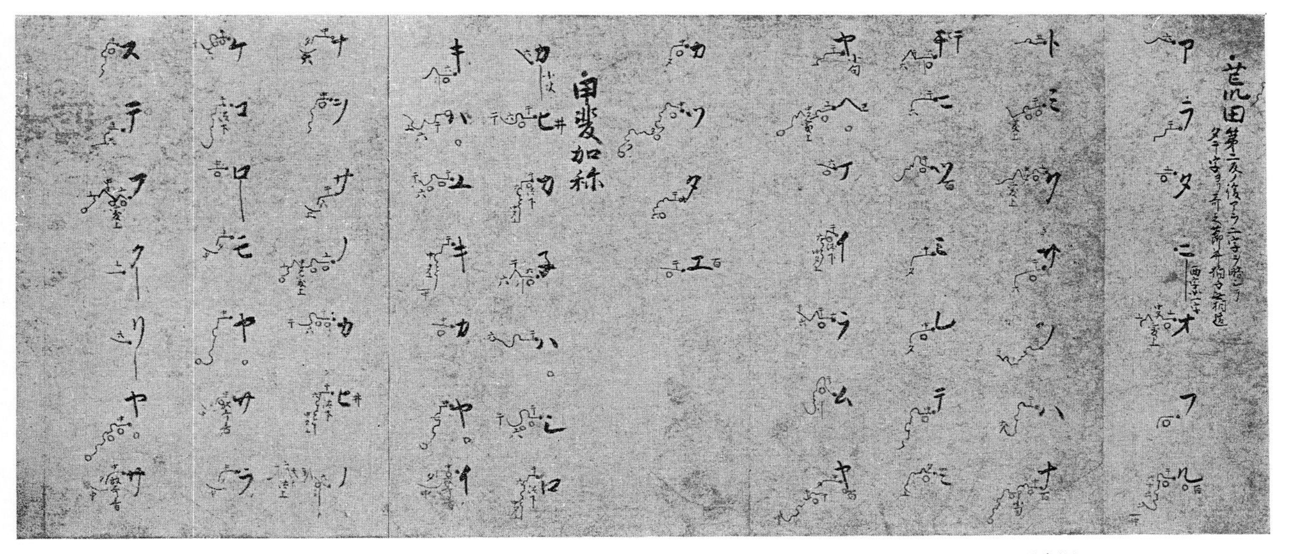

甲斐加祢　22頁参照

荒　田　20頁参照

巻　　末

『三五要録』難波乃都布良江

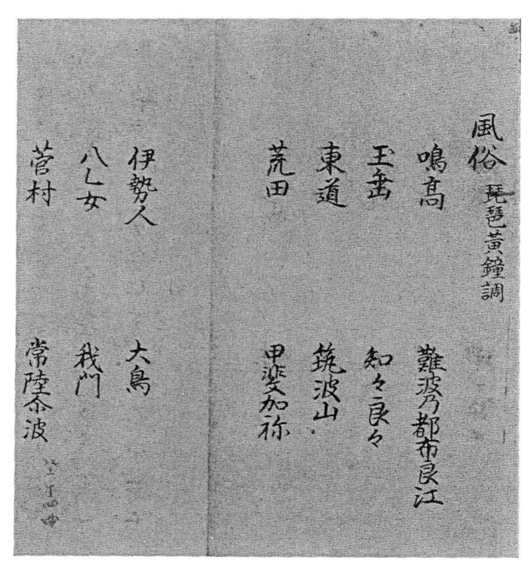
風俗　琵琶黄鐘調
鳴高　難波乃都布良江
玉垂　知々良々
東道　筑波山
荒田　甲斐加祢
伊勢人　大鳥
八乙女　我門
菅村　常陸介波

『三五要録』(琵琶譜) 著者蔵

まえがき

古代歌謡の一つである「風俗」なるものが，平安朝の中期以前から，鎌倉時代の初期の頃まで唱われていたことは，散見する文献によって知っていたが，それがどんな音楽的特徴をもつ謡物なのか，まったく窺知することができなかった．

神楽歌，東遊，催馬楽，朗詠などなら，習ったし，唱えもするが，風俗に関する限り，その譜すら見たこともなかった．それを知っている先輩もいなかった．要するに，風俗がどんなものか皆目わからなかったので，多分，神楽歌や催馬楽の親類のようなものだろうぐらいに考えていた．

ところが，敗戦後，長野県南佐久郡の山の中に疎開したままでいる平出久雄君から，これを五線紙に採ってみてはと，「風俗」の墨譜を送って来た．「風俗」なるものの墨譜を見たのはこれが最初である．それには十四首の「風俗」が載っていた．

そこで早速，風俗の五線紙への訳譜にとりかかった．その墨譜を研究するにしたがい，おおいに興味もわいてきた．やがて，これこそ日本の古い真の民謡の一端を知る唯一，最良の資料かも知れないとまで思うようになった．

風俗には，催馬楽のように狛唐楽（こまから）的なところは，どの曲にも全く見られない．この点がなにより気に入った．検討するに従い，類似の旋律型が多くの曲にかなり見出されるが，それぞれ独特の持味があり，結構，唱ってたのしめるものが少くないことが判ってきた．そこで，本格的に訳譜をはじめ，いろいろと苦心のすえに，ともかくも一応，その全曲を五線紙上に載せることができた．

しかし，原拠とした墨譜たるや，近世の転写本で，朱墨で随所に加筆がされており，ほとんど判読の不可能なところが少くないという，やっかいな悪本であった．他方，自分の訳譜を冷静に検討してみると，意にみたないところが随分にみられる．勝手な推定で訳譜したような箇所もかなり見出される．それも要するに原拠譜の不完全さから生じた結果にほかならないような気もする．これでは訳譜は一応完成したが，無意味な反古のようなものだ．それで，残念ながら一時訳譜と研究をうちきり，何よりもまずもっと明瞭な墨譜をさがしもとめることが必要であると考え，これ以上は仕事をすすめても無駄だと断定して，原拠の墨譜に不満足な訳譜の写しを添えて，平出君の許へ返送し，自分の原稿はそのまま本箱の中へ投げ込んでしまった．その後風俗のことはいつとはなしに，念頭から消えうせてしまったのであった．

ところが，昭和26年3月の第一次採譜から，七年以上も経過した昭和33年12月29日に，さいわいにも多氏本家伝来の秘譜『風俗古譜』を披見することが出来た．そこで，風俗の再検討，再研究を開始し，昭和34年2月10日に至り，ようやく満足に近い程度のものに，全曲の第二次訳譜を完了したのである．新，旧の訳譜を比較してみると，その相異があまりに甚だしいのに，自分ながら驚かされた．

本書の成立過程は，ざっと以上のようだが，その動機は風俗の曲趣に興味をおぼえたからであり，記譜の目的は風俗の音楽的実態を窺知するのにあった．

『風俗古譜』に示されている音型を忠実に五線紙上に再現するのが本書の目的であって，それ以外のことなどは，一般的な事例を粗記するに止めた．特に，風俗の国文学的研究が現在までにおさめている成果などについては，その道の専門家の著書についてしらべていただくことにして本書ではほとんどすべてを割愛した．

終りに，この訳譜の原拠とした『風俗古譜』は『古事記』を書いた太(多)安萬侶の後裔の多忠昭君の家伝の秘譜であるが，今度同君の快諾を得てこの訳譜を完成することが出来たのであるし，その原譜の公開をも許されたことに対して，ここに深謝の意を表しておきたい．

なお，平出久雄君には一方ならぬ援助を受けた．特に，「原拠本についての項」は，全部同君の検討研究の結果を書かれたもので，そっくりそのままを本書に加えた．これによって『風俗古譜』の伝承等が明かになったと思う．ここに同君に対し深く謝意を表するわけである．

なお参考にせる楽譜，楽書，文献は次の通りである．

（1） 師長撰三五要録(琵琶譜)第四巻

（2） 基政催馬楽笛譜中の風俗笛譜(建久四年五月とある)

（3） 神楽歌譜　二種

（4） 催馬楽略譜(宇多源家の催馬楽秘譜)

（5） 古事類苑　楽舞部一(43)

この中には，本書に引用せる「体源抄」「十訓抄」「吉野楽書」「大鏡」「源氏物語」等の条を含む.

（6） 歌舞音楽略史，小中村清矩述

（7） 催馬楽名義考　山井景建著

なお，この出版について，山根銀二氏の一方ならない蔭での御尽力，岩波書店の方々に，いろいろの点で，なみならぬお世話になったことをここに書きそえて感謝の意を表します.

1961年1月

山　井　基　清

目　　次

風俗訳譜

鳴　　高（又号大宮）

三　段

第一段
な　り　た　か　(ア)
Na　ri　ta　ka　(a)
放歌音
し　や　な　(ア)　り
shi　ya　na　(a)　ri
百1
た　か　し　(イ)
ta　ka　shi　(i)
百2
♩= 72
お　ほ(ヲ)　み　や　ち　か
O　o　mi　ya　chi　ka
汰下
放歌音
く　て　(エ)　な　ン
ku　te　(e)　na　n
百3

(ウ) り た か
(u) ri ta ka

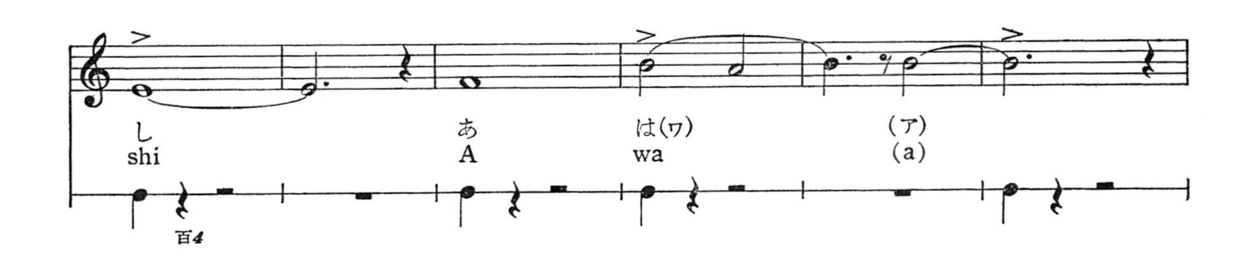
し あ は(ワ) (ア)
shi A wa (a)
百4

放歌音
れ ン の (ヲ) な ン (ウ)
re n no (o) na n (u)
百5

り (イ) た か し
ri (i) ta ka shi
百6

第二段

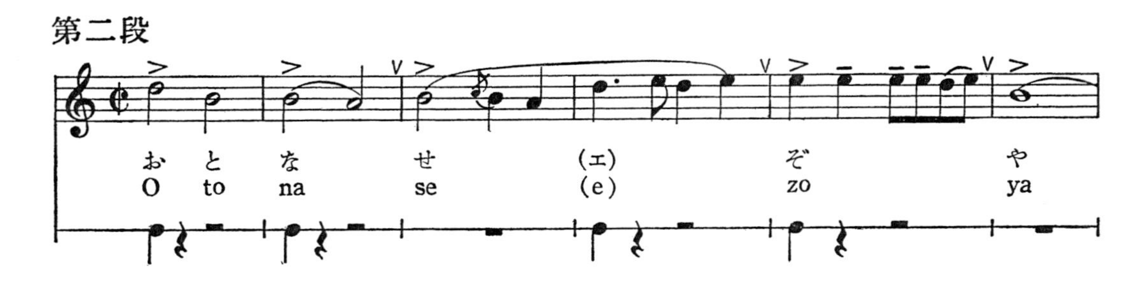
お と な せ (エ) ぞ や
O to na se (e) zo ya

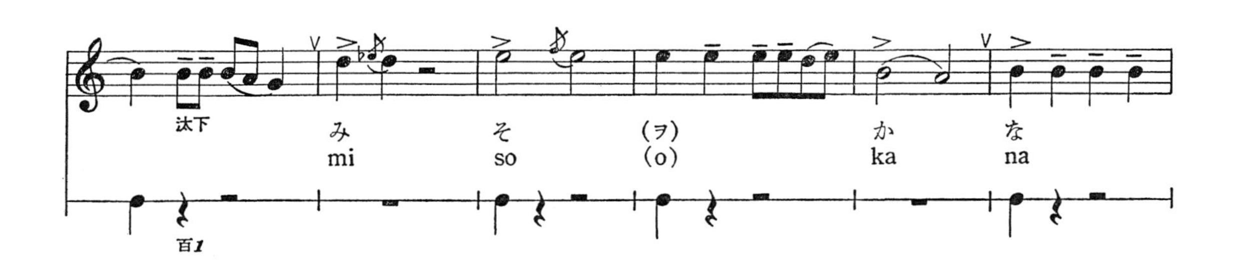

汰下
み そ (ヲ) か な
mi so (o) ka na
百1

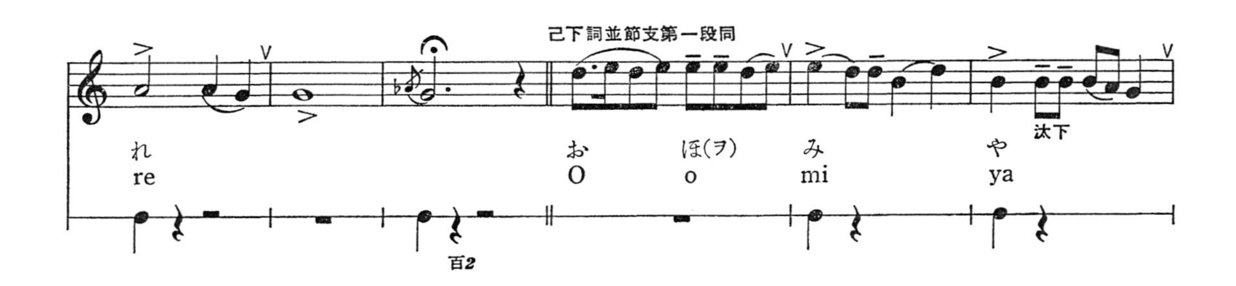

己下詞並節支第一段同
れ お ほ(ヲ) み や
re O o mi ya
汰下
百2

ち か く て (エ)
chi ka ku te (e)
百3

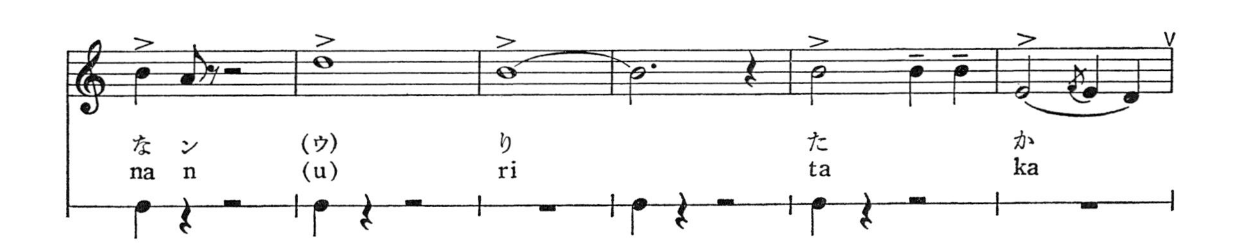

な ン (ウ) り た か
na n (u) ri ta ka

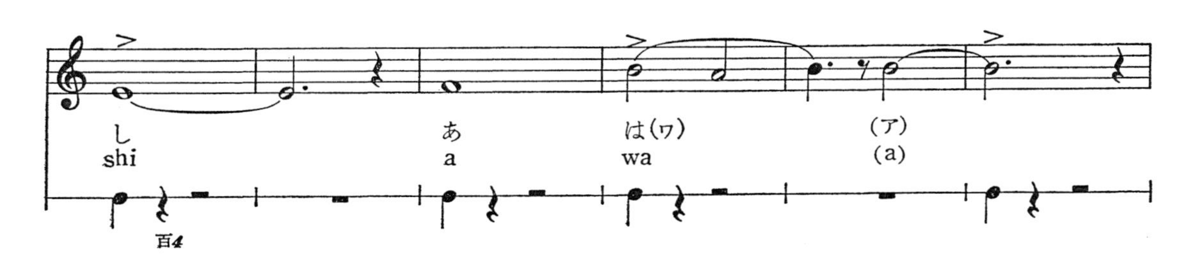

し あ は(ワ) (ア)
shi a wa (a)
百4

れ の (ヲ) な ン (ウ)
re no (o) na n (u)
百5

り た か し
ri ta ka shi
百6

第三段

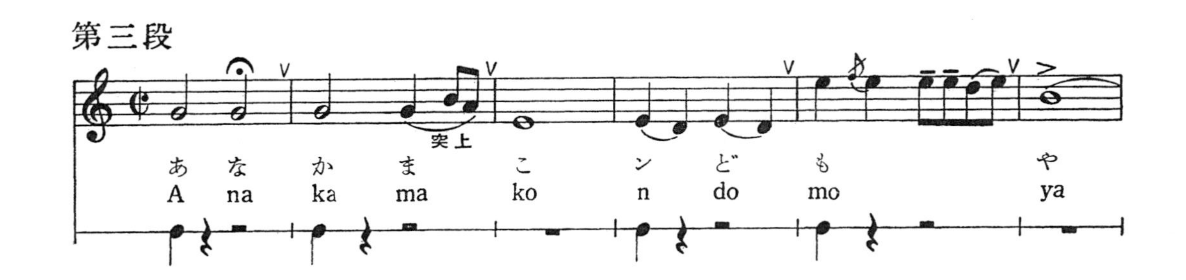
突上
あ な か ま こ ン ど も や
A na ka ma ko n do mo ya

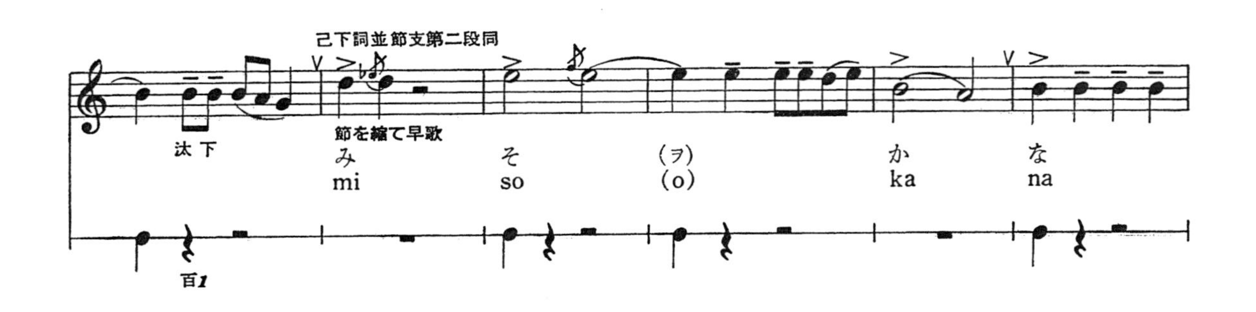
已下詞並節支第二段同
汰下
節を縮て早歌
み そ (ヲ) か な
mi so (o) ka na
百1

れ (エ) お ほ(ヲ) み や
re (e) O o mi ya
百2

ち か く て (エ)
chi ka ku te (e)
百3

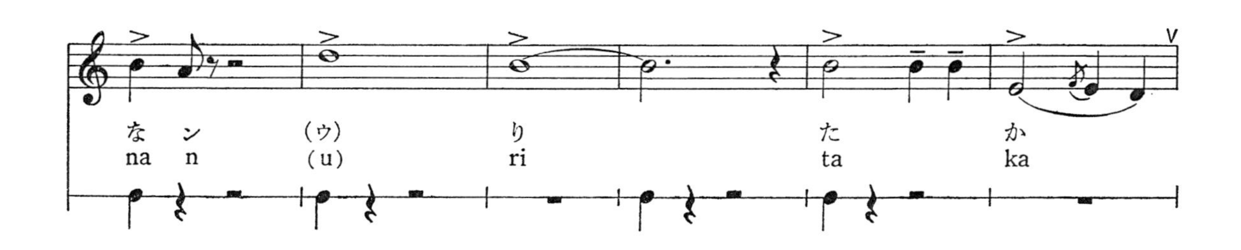
な ン (ウ) り た か
na n (u) ri ta ka

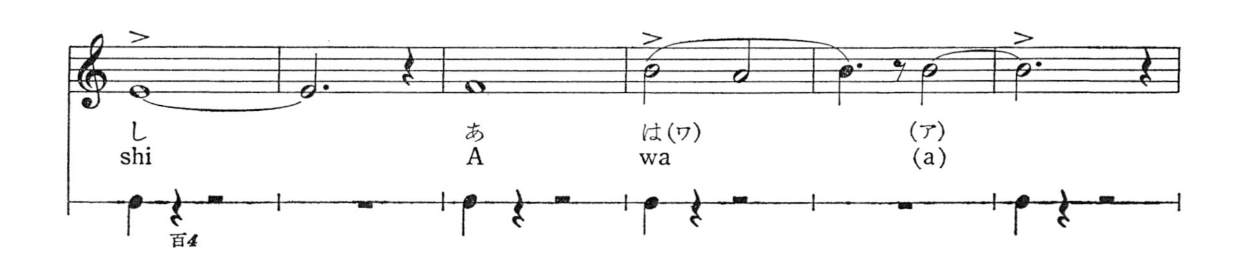
し あ は(ワ) (ア)
shi A wa (a)
百4

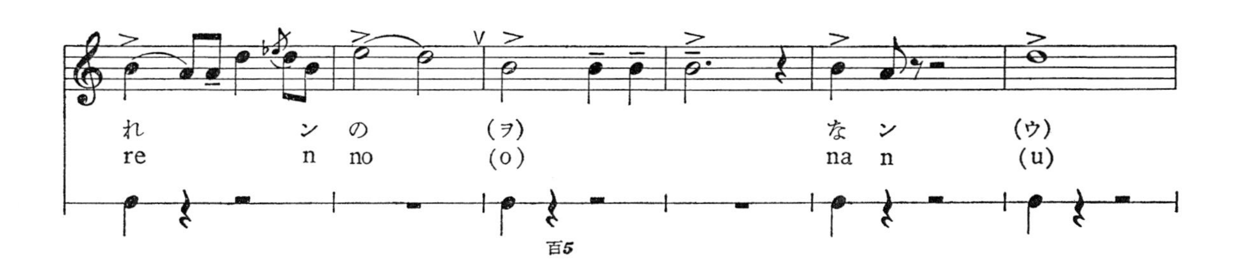
れ ン の (ヲ) な ン (ウ)
re n no (o) na n (u)
百5

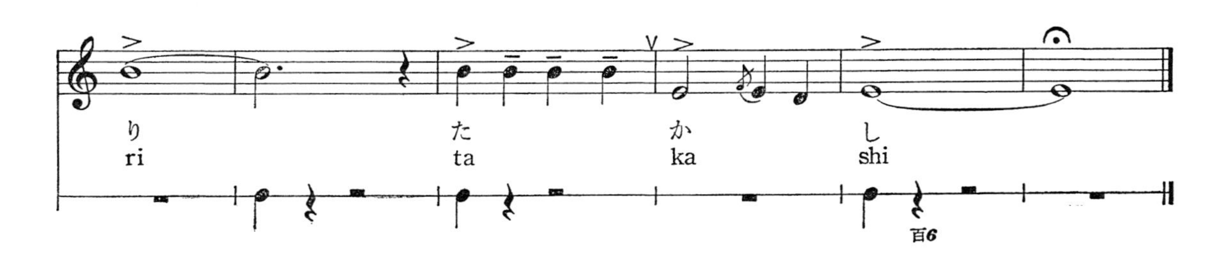
り た か し
ri ta ka shi
百6

難波乃都布良江

二段

第一段
な は(ワ) の つ ぶ ら え ン
Na wa no tsu bu ra e n
の は る な れ ン
no ha ru na re n
百1
あ き な れ ン
A ki na re n
(♩＝88)
ば (ア) か す み て
ba a ka su mi te
百2
ば き り た ち
ba ki ri ta chi
み ゆ る な は(ワ) ア
mi yu ru na wa (a)
百3
わ た る
wa ta ru
の つ (ウ) ぶ ら え
no tsu (u) bu ra e
百4

第二段

つ ぶ ら え ン の (ヲ) せ
Tsu bu ra e n no (o) se

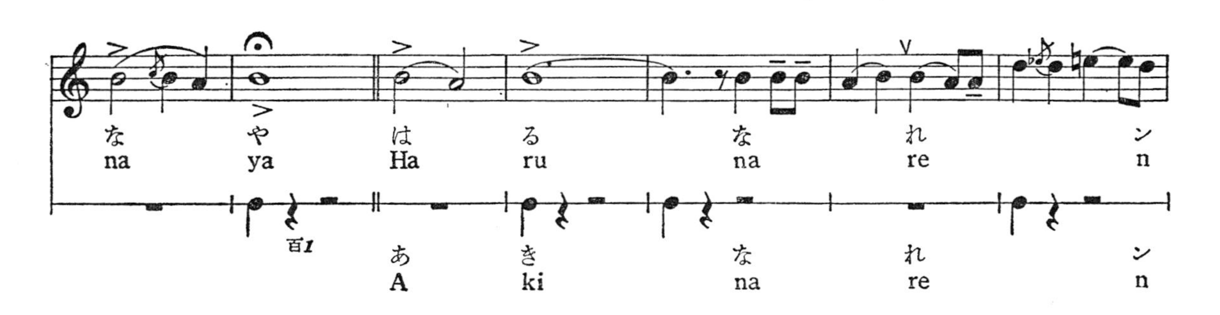

な や は る な れ ン
na ya Ha ru na re n
百1
あ き な れ ン
A ki na re n

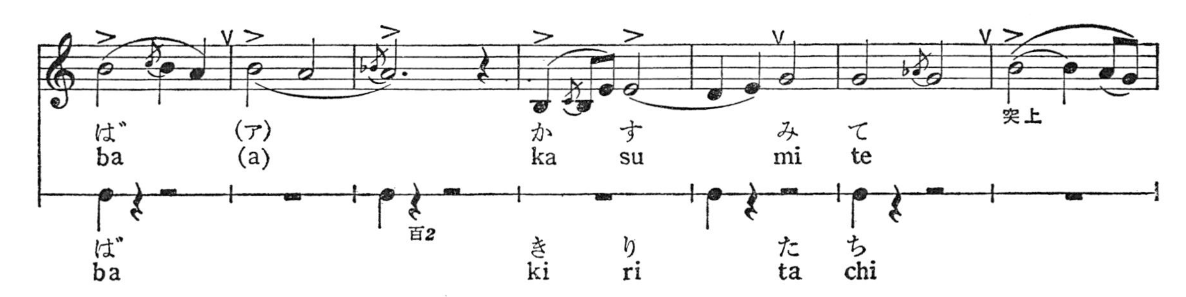

ば (ア) か す み て
ba (a) ka su mi te
突上
百2
ば き り た ち
ba ki ri ta chi

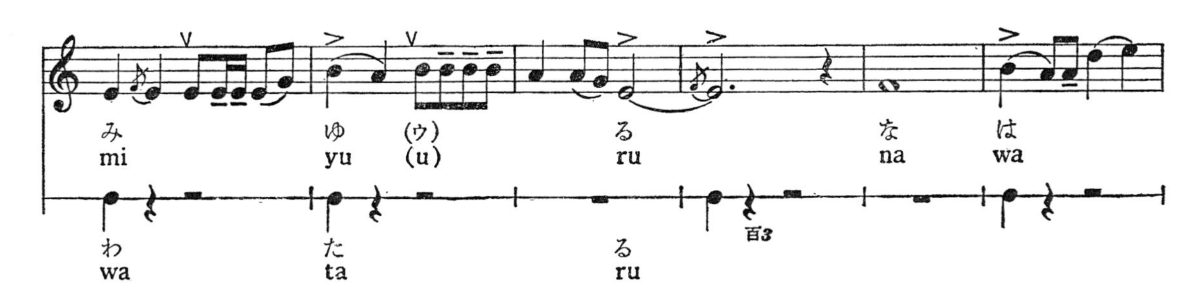

み ゆ (ウ) る な は
mi yu (u) ru na wa
百3
わ た る
wa ta ru

の つ (ウ) ぶ ら え
no tsu (u) bu ra e
百4

玉　垂
二　段
第一段
た ま だ れ の
Ta ma da re no
𝅗𝅥＝50−56
(ヲ) か め を
(o) ka me o
百1
(ヲ) (ヲ) な か
(o) (o) na ka
百2
に す (ウ) へ て
ni su (u) e te
百3
あ る じ は(ワ) も ン や
A ru ji wa mo n ya

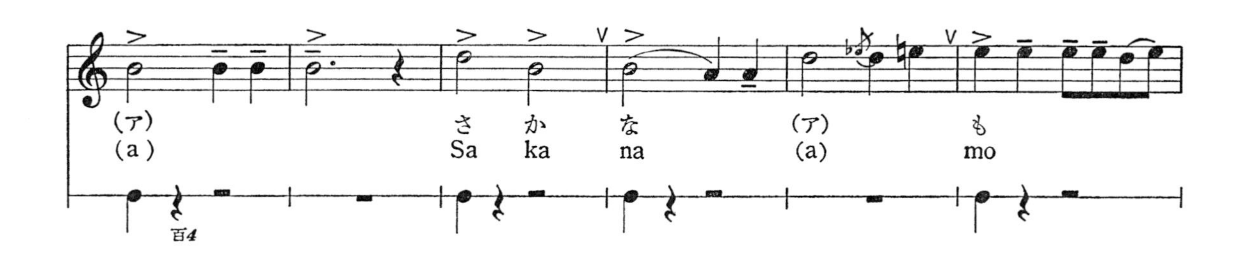
(ア) さ か な (ア) も
(a) Sa ka na (a) mo
百4

り ン に (イ) さ か
ri n ni (i) Sa ka
百5

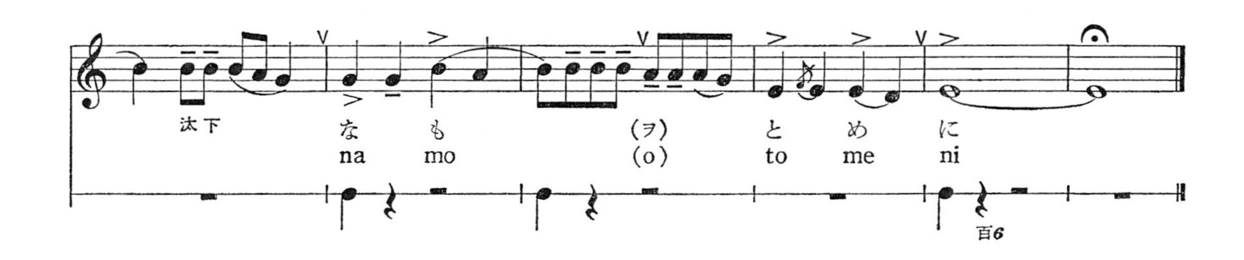
汰下
な も (ヲ) と め に
na mo (o) to me ni
百6

第二段

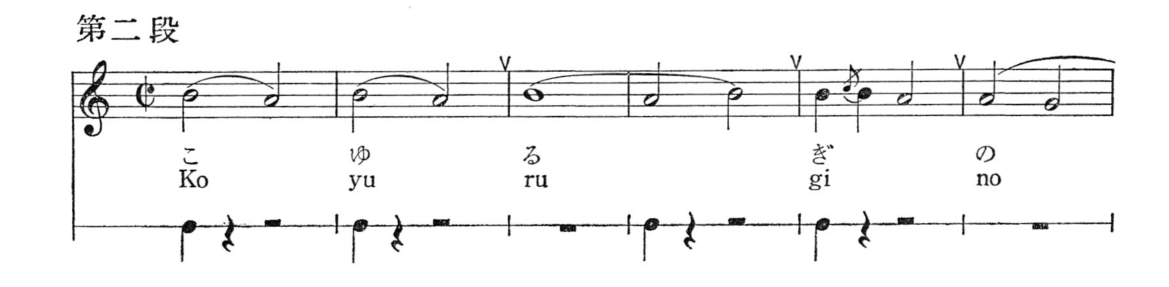
こ ゆ る ぎ の
Ko yu ru gi no

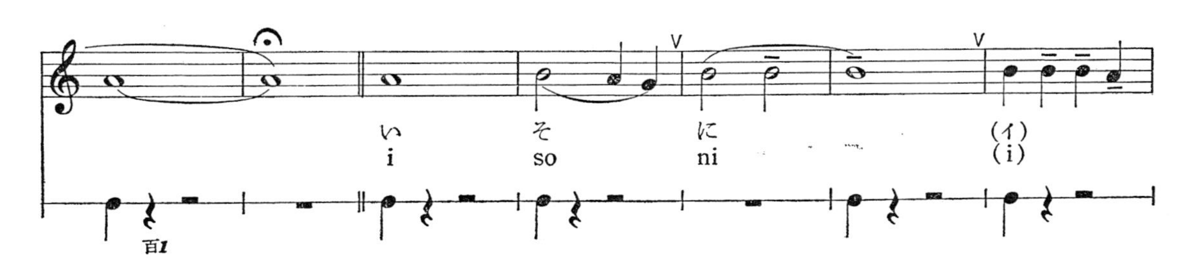
い そ に (イ)
i so ni (i)
百1

(イ) わ か め
(i) wa ka me
百2

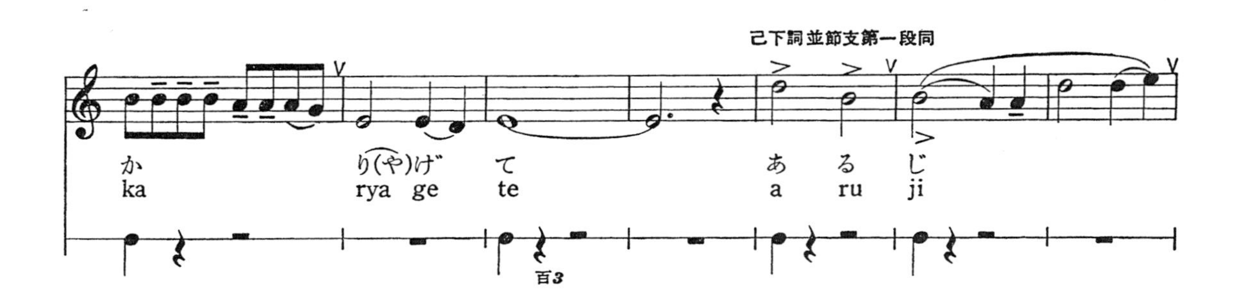
己下詞並節支第一段同
か り(や)げ て あ る じ
ka rya ge te a ru ji
百3

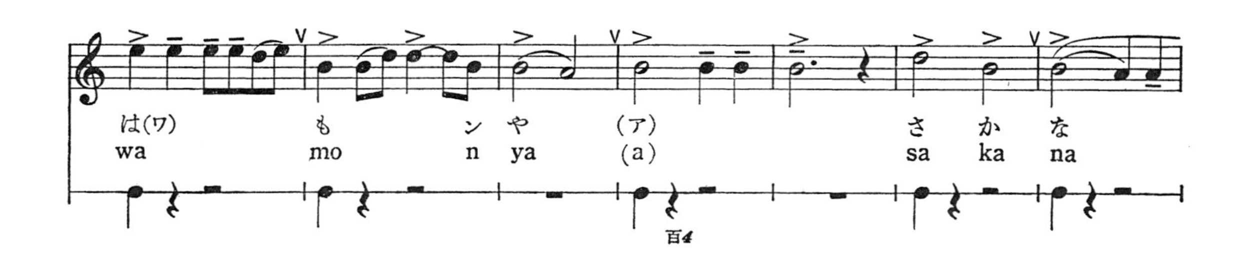
は(ワ) も ン や (ア) さ か な
wa mo n ya (a) sa ka na
百4

も り ン に (イ) さ
mo ri n ni (i) sa
百5

か (ア) な も (ヲ) と め に
ka (a) na mo (o) to me ni
百6

知 々 良 々

♩=42
ち ち ら ら ン が (ア) か ど
Chi chi ra ra n ga (a) ka do
に う そ 汰下 ぶ い ま ろ こ
ni u so bu i ma ro ko
百1
そ た て れ て(チョ) う ど
so ta te re cho o do
百2
を ひ 針上 さ げ て
o hi sa ge te
百3
な ど か は(ワ) や 汰下 た て
na do ka wa ya ta te
百4

り し (イ) ン も (ヲ) せ ざ ら
ri shi (i) n mo (o) se za ra

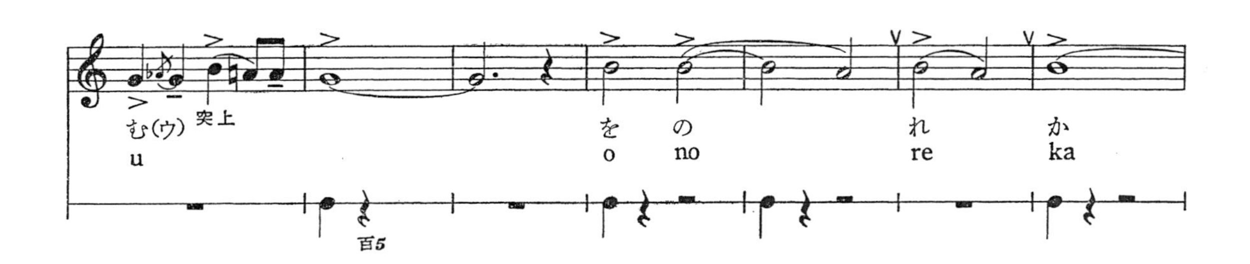
む(ウ) 突上 を の れ か
u o no re ka
百5

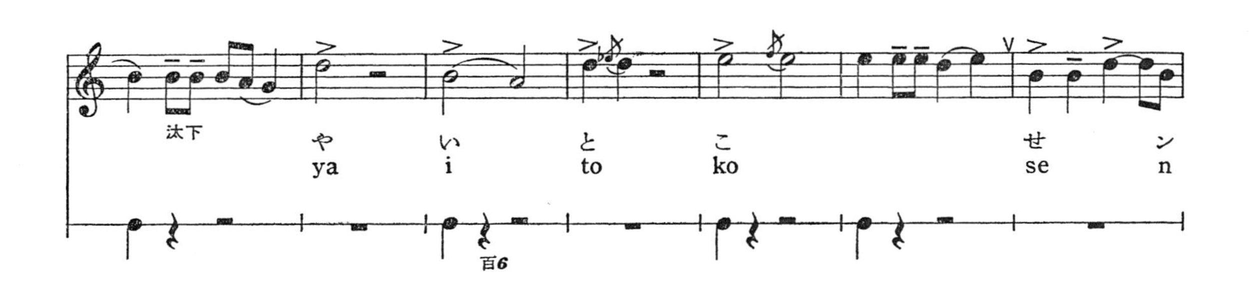
汰下
や い と こ せ ン
ya i to ko se n
百6

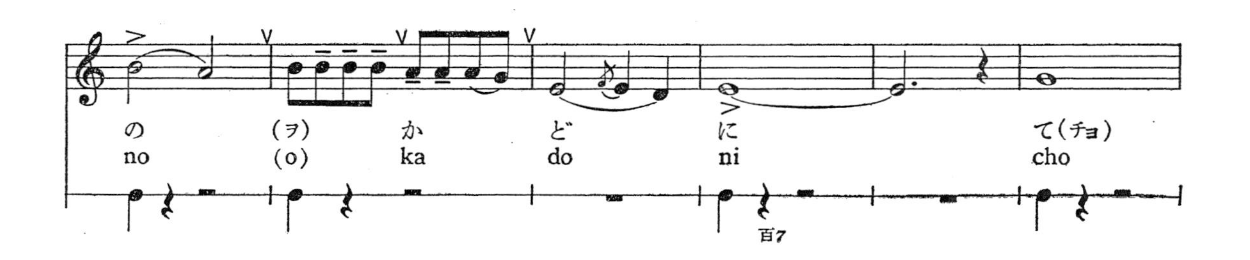
の (ヲ) か ど に て(チョ)
no (o) ka do ni cho
百7

針上
う ど を ひ さ げ て
o do o hi sa ge te
百8

東　道

あ づ ま ぢ に
A zu ma ji ni
♩= 60-66
か る
ka ru
百1
か や の (ヲ)
ka ya no (o)
百2
よ こ を
yo ko o
(ヲ) ほ(ヲ) ぢ に な さ
(o) o ji ni na sa
百3

け
ke
を
o

放歌音
(ヲ)
(o)
か
ka
い
i
か
ka
る
ru
百4

か
ka
や
ya
の
no
百5

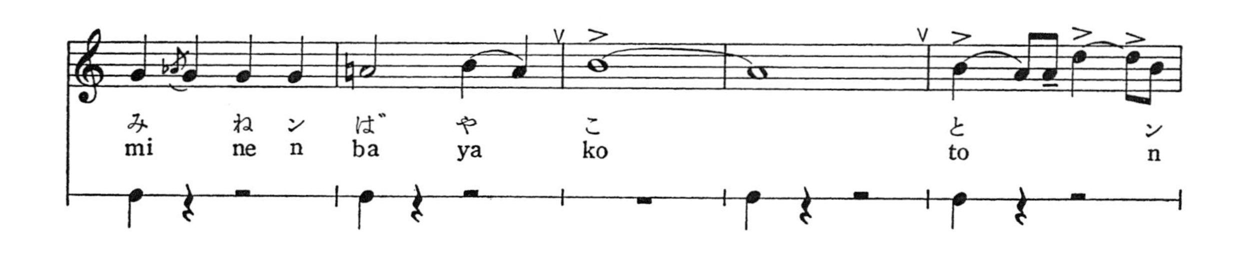
み ね ン ば や こ と ン
mi ne n ba ya ko to n

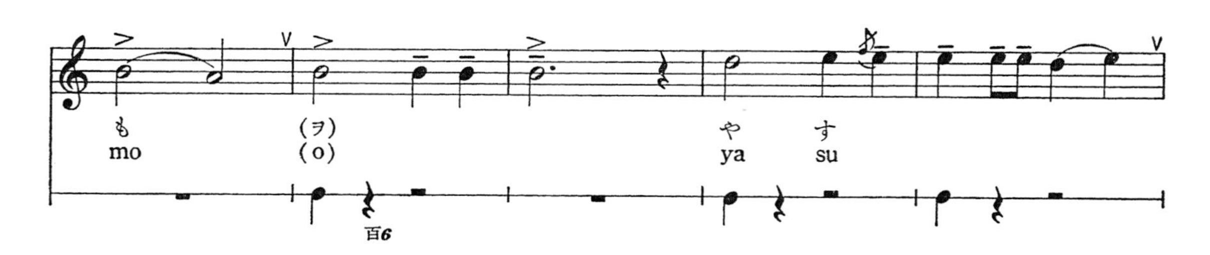
も
mo
(ヲ)
(o)
や す
ya su
百6

ら (ア) に (イ)
ra (a) ni (i)
百7

か る か (ア) や
ka ru ka (a) ya

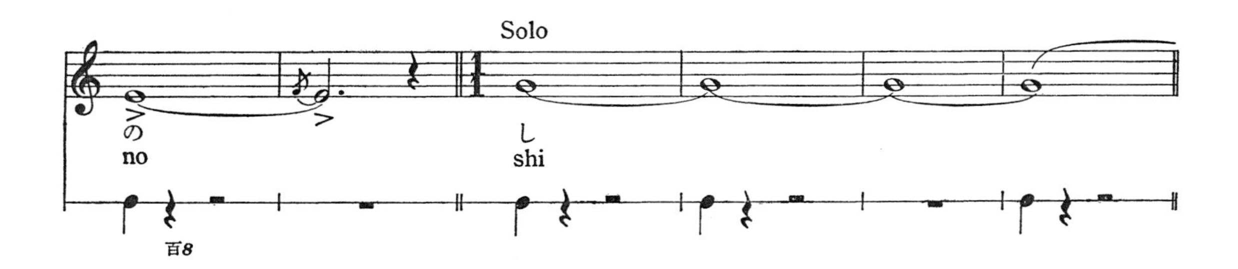
Solo
の し
no shi
百8

放歌音
さ や か い か
Sa ya ka i ka
百9
tutti

る か や 突上 の
ru ka ya no
百10

筑波山

"く"字大略不聞
つ く ば や (ア) ま
Tsu ku ba ya (a) ma
♩= 42-50
(ア) は や (ア) ま
(a) ha ya (a) ma
百1
し (イ) げ や ま
shi (i) ge ya ma
百2
"シ"字大略如聞
し げ き を ぞ
shi ge ki o zo
Solo
tutti
重下
や た が こ
ya ta ga ko
百3

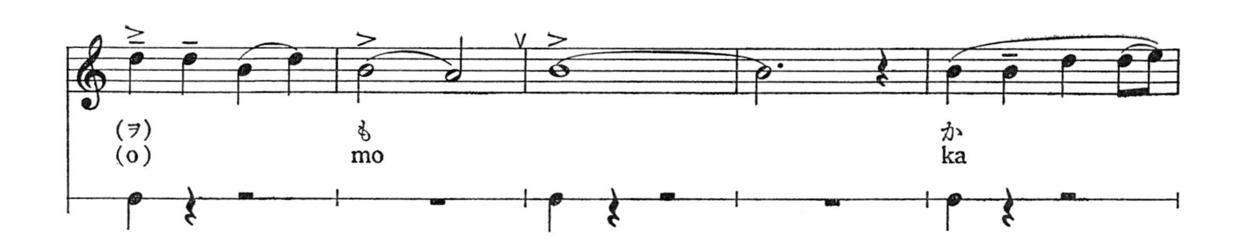
(ヲ) も か
(o) mo ka

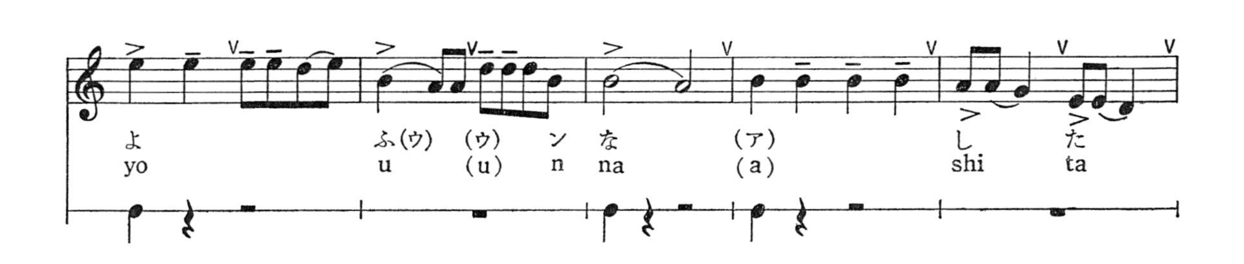
よ ふ(ウ) (ウ) ン な (ア) し た
yo u (u) n na (a) shi ta

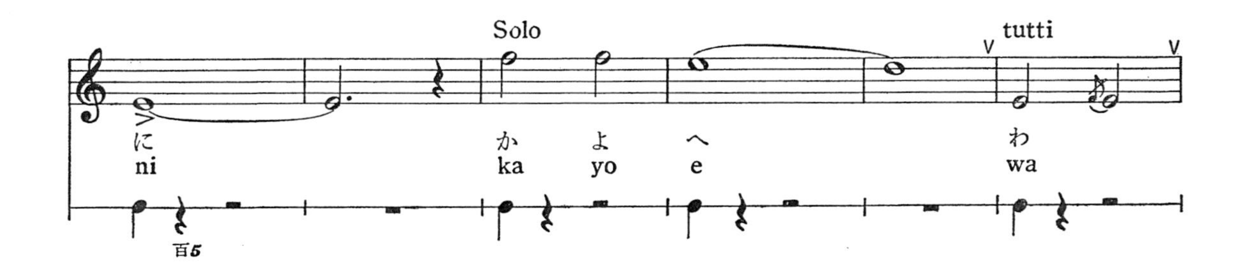
Solo
tutti
に か よ へ わ
ni ka yo e wa
百5

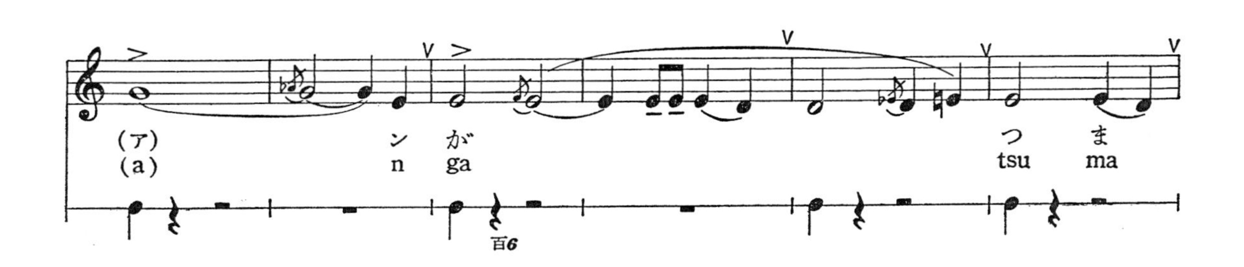
(ア) ン が つ ま
(a) n ga tsu ma
百6

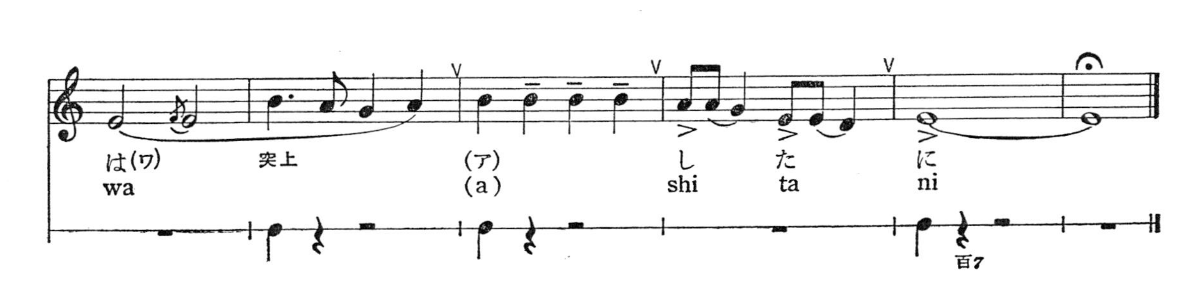
は(ワ) 突上 (ア) し た に
wa (a) shi ta ni
百7

荒　　田

第二反の後．あら二字を略して．たに字より歌也．節並拍子無相違．
あ ら た にお 突上 ふ(ウ) る
A ra ta nyo u ru
両字如一字
百1
(ウ) (ウ) と み 突上
(u) (u) to mi
𝅗𝅥＝40
百2
く 突上 さ の (ヲ)
ku sa no (o)
百3
小句
は な (ア)
ha na (a)
百4
百5
て に つ み れ
te ni tsu mi re
百6

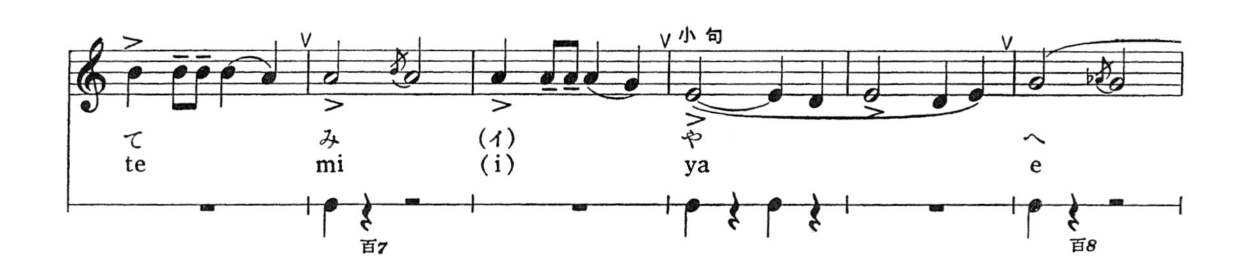
小 句
て
te
み
mi
(イ)
(i)
や
ya
へ
e
百7
百8

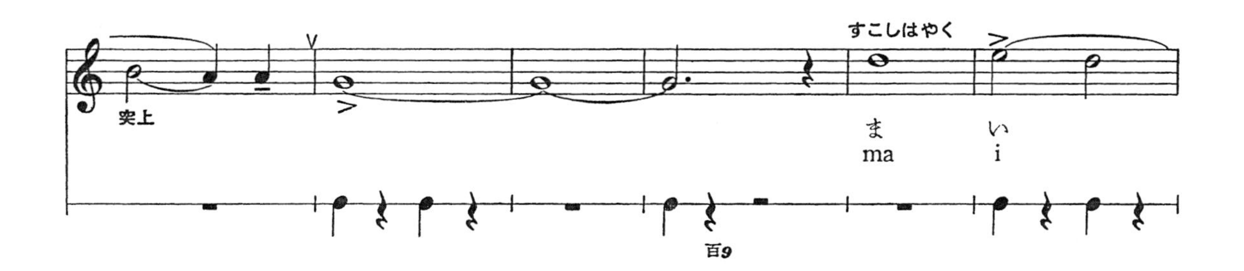
すこしはやく
突上
ま
ma
い
i
百9

汰下
ら
ra
ン
n
(ゥ)
(u)
百10
百11

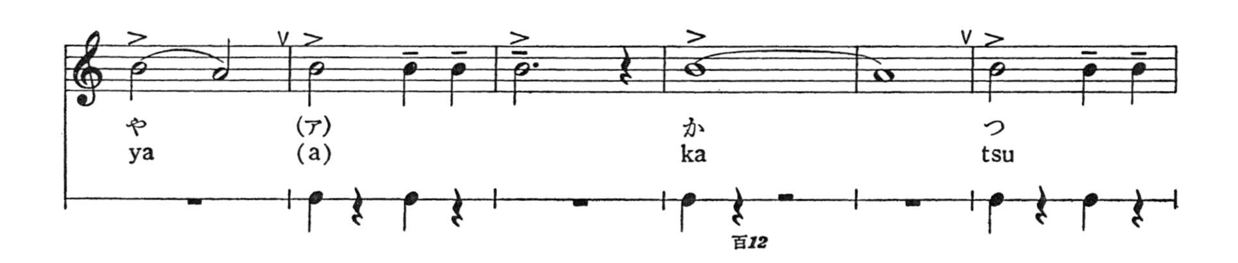
や
ya
(ア)
(a)
か
ka
つ
tsu
百12

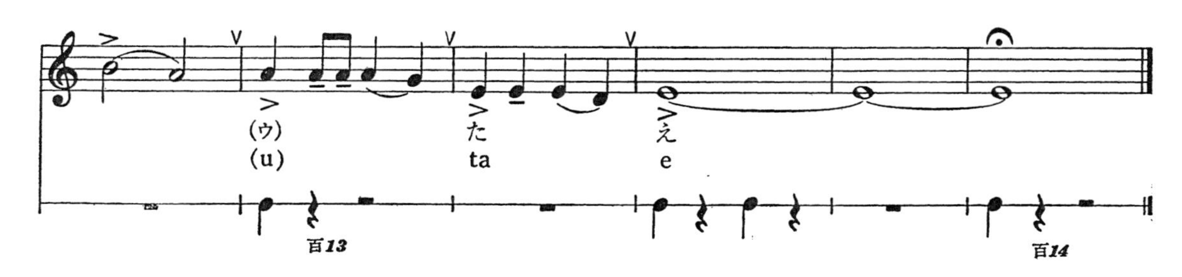
(ウ)
(u)
た
ta
え
e
百13
百14

甲 斐 加 祢

か ひ(イ) が 汰下 ね は
Ka i ga ne wa
Solo
百1
♩= 80
し ろ き は(ワ)
shi ro ki wa
tutti
百2 八度下方でもうたう
放歌音
ゆ き 汰下 (イ) か や い (イ)
yu ki (i) ka ya i (i)
百3
な (ア) を さ (ア) の
na (a) o sa (a) no
突上
百4
か ひ(イ) の
ka i no
百5
百6 同上

汰上
汰下
(ヲ) け ご ろ も (ヲ) や
(o) ke go ro mo (o) ya
百7

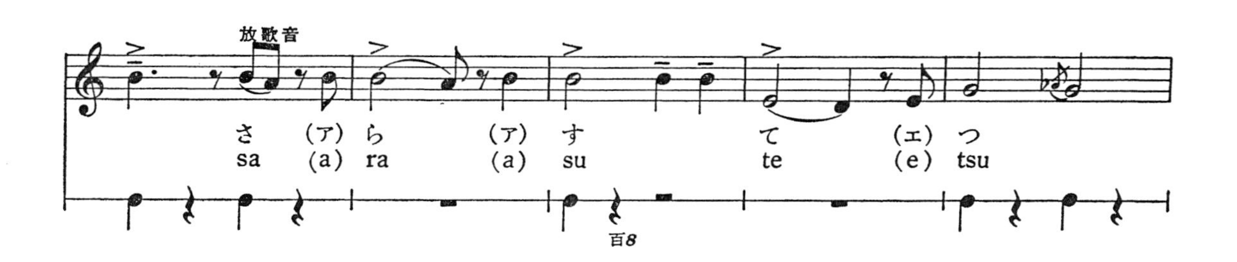
放歌音
さ (ア) ら (ア) す て (エ) つ
sa (a) ra (a) su te (e) tsu
百8

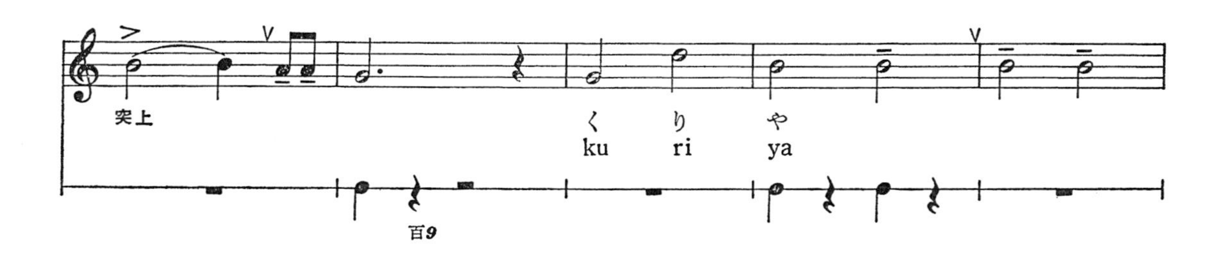
実上
く り や
ku ri ya
百9

さ (ア) ら (ア) す て (エ) つ
sa (a) ra (a) su te (e) tsu
百10
百11

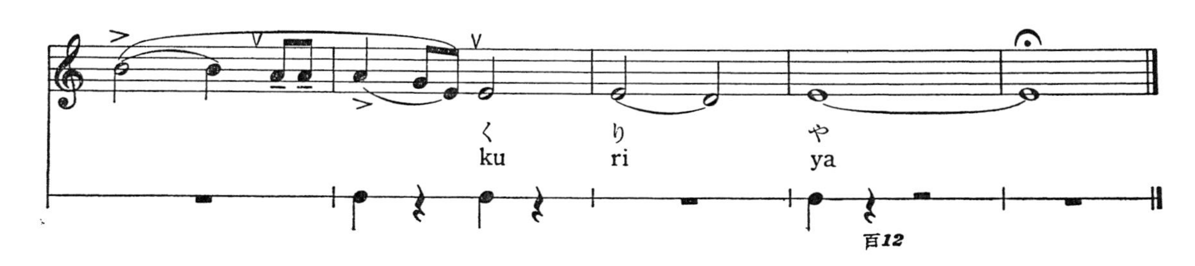
く り や
ku ri ya
百12

伊　勢　人

沃引
いせびとは
I se bi to wa
Solo
百1
♩＝80
沃引
あやしき
a ya shi ki
tutti
百2
沃引
放歌音
もの（ヲ）ぞやな（ア）
mo no (o) zo ya na (a)
百3
どといへ（エ）ば
do to i e (e) ba
突上
百4
沃引
をぶね
o bu ne
百5
百6

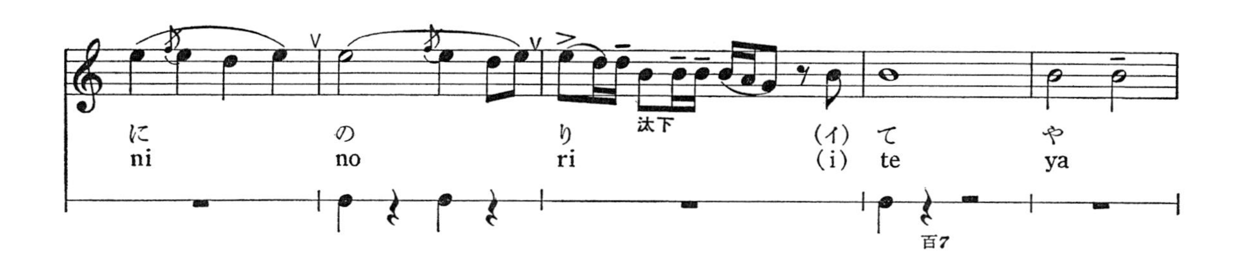

汰下
に の り （イ） て や
ni no ri (i) te ya
百7

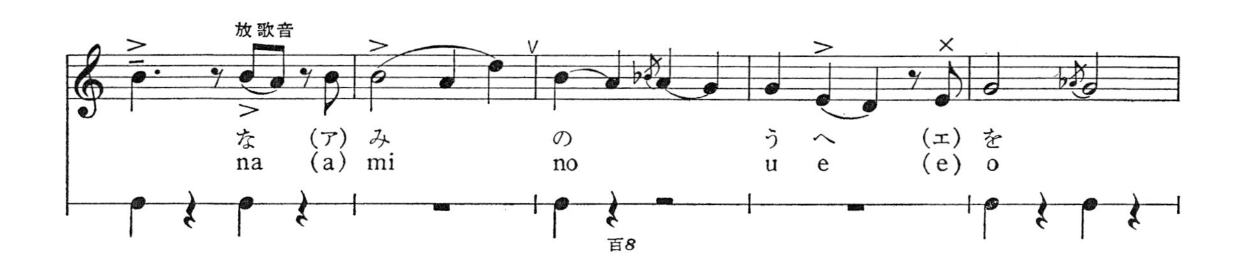

放歌音
な （ア） み の う へ （エ） を
na (a) mi no u e (e) o
百8

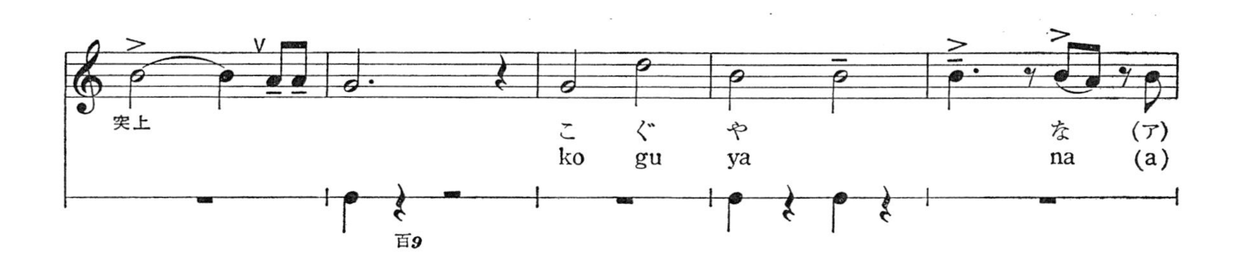

突上
こ ぐ や な （ア）
ko gu ya na (a)
百9

み の う へ （エ） を
mi no u e (e) o
百10
百11

こ ぐ や
ko gu ya
百12

大　　鳥

お ほ(ヲ) と 汰引 り の
O o to ri no
百1
♩= 92-100
は ね に や れ な
ha ne ni ya re na
百2
む(ン) (ウ) し も ふ
n (u) shi mo fu
百3
れ り や れ な
re ri ya re na
百4
む(ン) た れ か 汰引 さ い ふ(ウ)
n ta re ka sa yu u
百5
百6

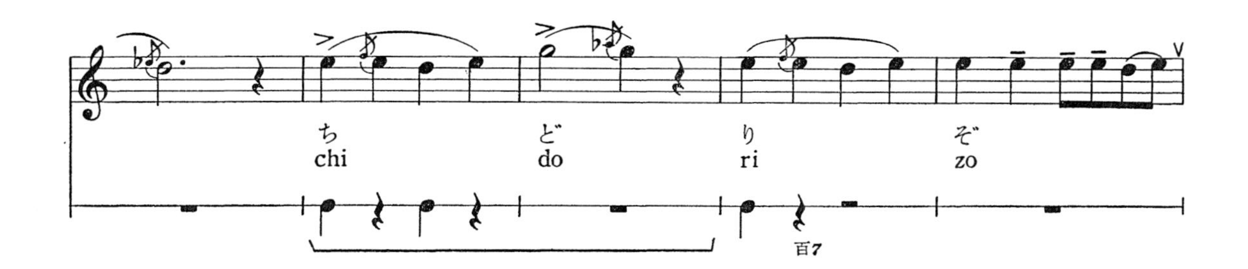
ち ど り ぞ
chi do ri zo
百7

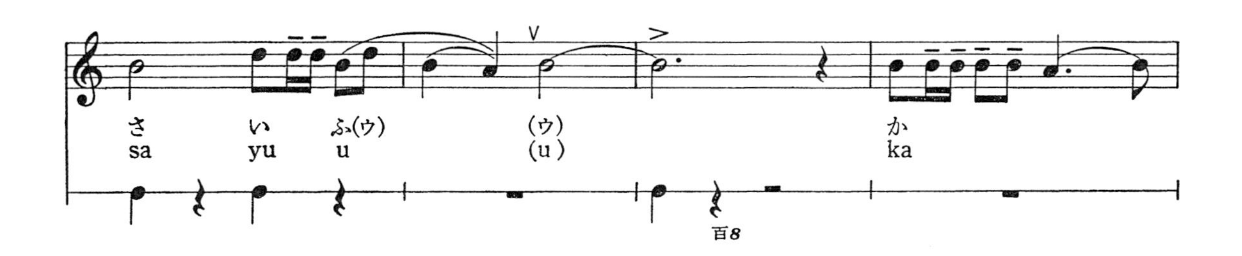
さ い ふ(ゥ) (ゥ) か
sa yu u (u) ka
百8

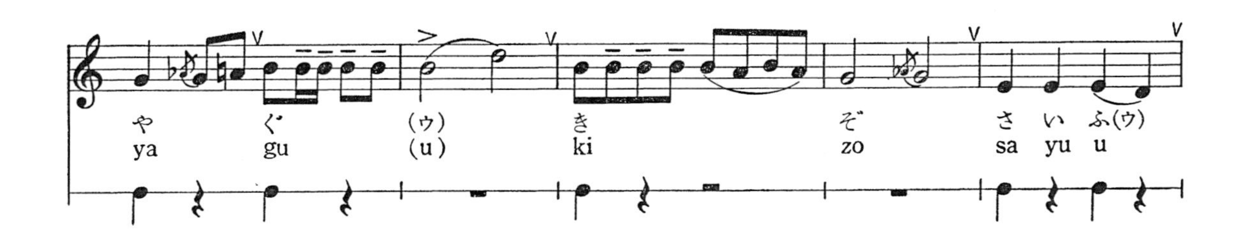
や ぐ (ゥ) き ぞ さ い ふ(ゥ)
ya gu (u) ki zo sa yu u

両字如一字
(ゥ) あ ら ジャ
(u) a ra jya
百10

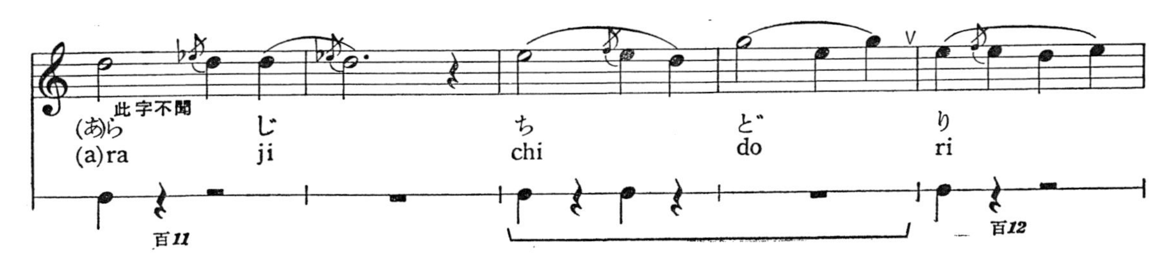
此字不聞
(あ)ら じ ち ど り
(a)ra ji chi do ri
百11
百12

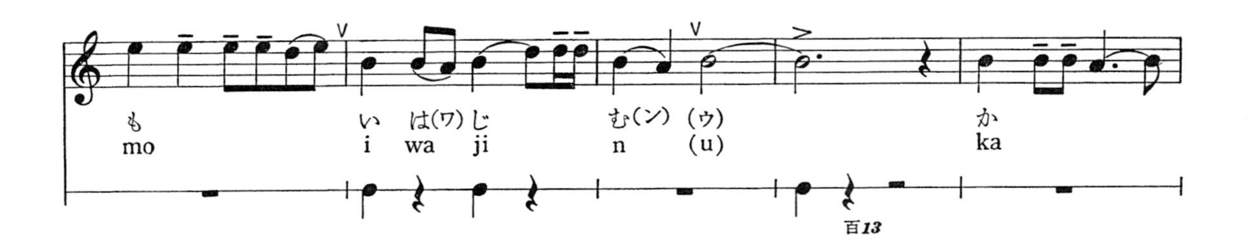
も い は(ワ) じ む(ン) (ウ) か
mo i wa ji n (u) ka
百13

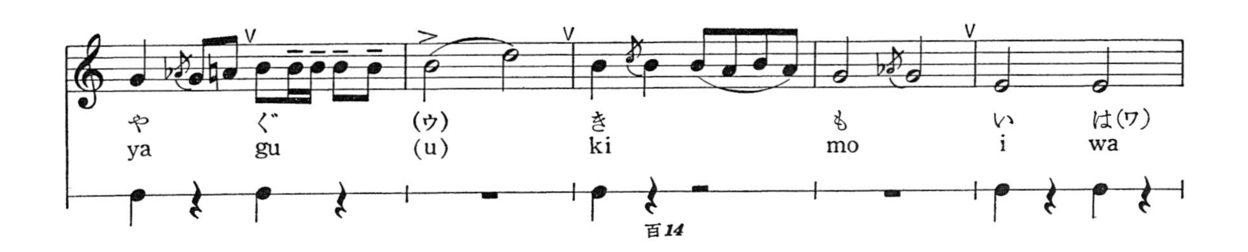
や ぐ (ウ) き も い は(ワ)
ya gu (u) ki mo i wa
百14

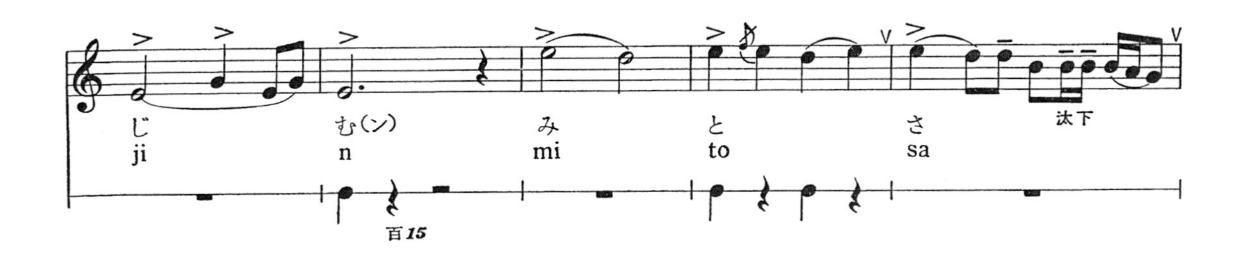
じ む(ン) み と さ 汰下
ji n mi to sa
百15

ぎ も きゃ(京) う よ り き
gi mo kyo o yo ri ki
百16
百17

て さ い は(ワ) じ
te sa i wa ji
百18

八　乙　女
第一段
二　段
(𝅗𝅥 = 50)
や　を　と　め　(エ)
Ya　o　to　me　(e)
は　わ
wa　wa
百1
が　や　を　(ヲ)　と
ga　ya　o　(o)　to
百2
め　(エ)　(エ)　ぞ
me　(e)　(e)　zo
百3
た　つ　や　や　を
ta　tsu　ya　ya　o
突上

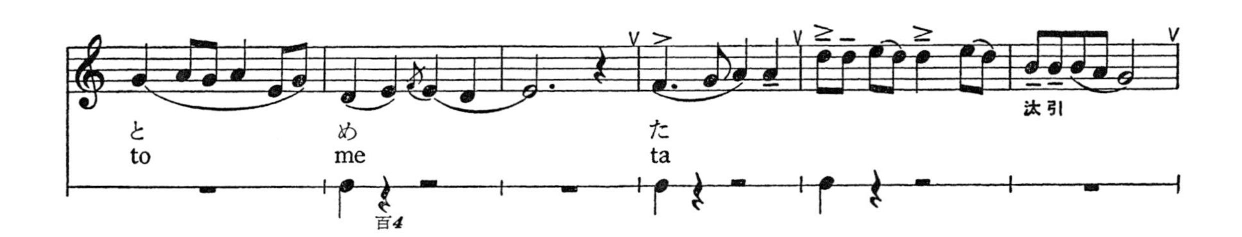
と　め　た
to　me　ta
汰引
百4

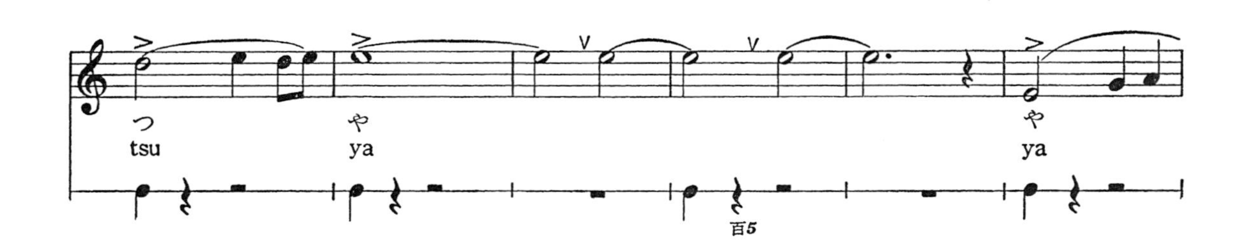
つ　や　や
tsu　ya　ya
百5

突上
を　と　め
o　to　me
百6

第二段

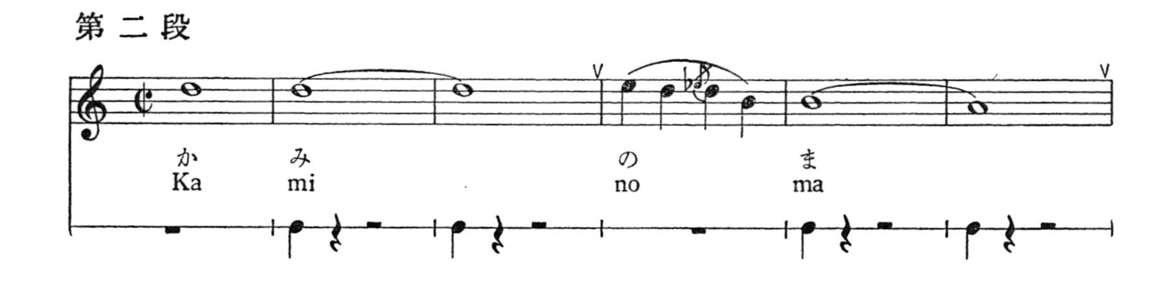
か　み　の　ま
Ka　mi　no　ma

己下支第一段同音（と原譜にあるが）
（ア）　す　こ　の
（a）　su　ko　no
百1

み や し ろ
mi ya shi ro
百2

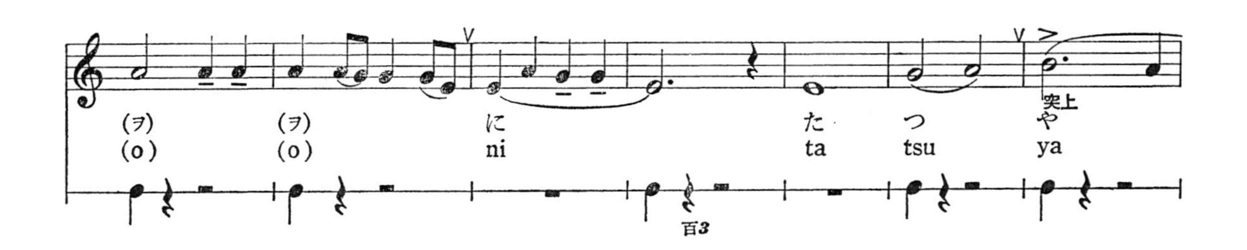
(ヲ) (ヲ) に た つ や
(o) (o) ni ta tsu ya
突上
百3

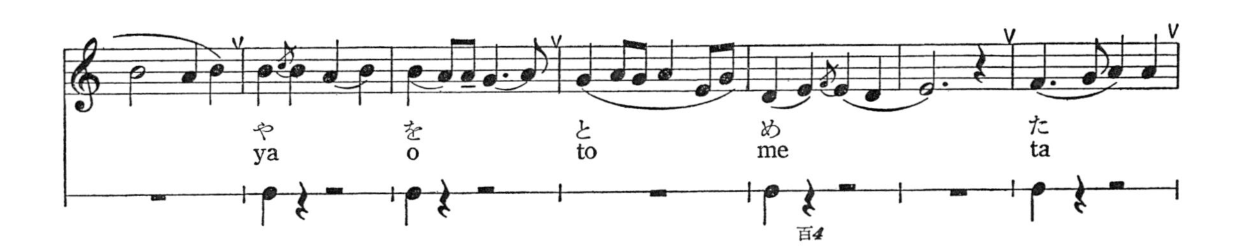
や を と め た
ya o to me ta
百4

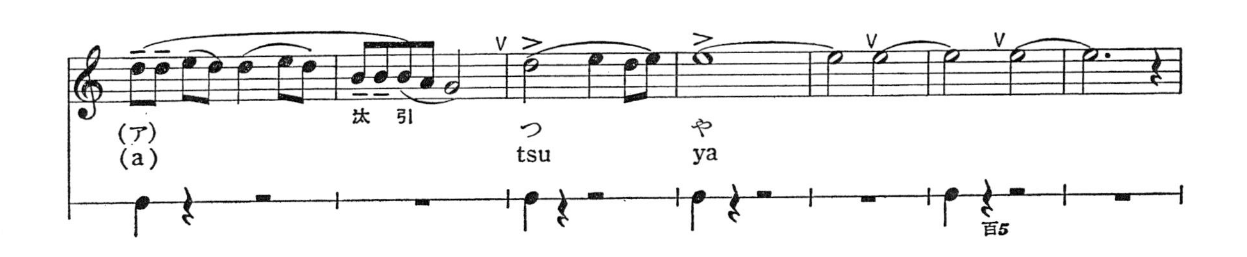
(ア) つ や
(a) tsu ya
汰 引
百5

や を と め
ya o to me
突上
百6

我門
第一段
二段
わ が か ど の
Wa ga ka do no
汰下
百1
や
ya
突上
百2
♩= 84-100
し だ る
shi da ru
(ウ) こ
(u) ko
突上
や な
ya na
百3
ぎ
gi
百4
或自此句歌 略上詞
しゃ は(ワ) れ
sya wa re
突上
と う
to (o)
百5
ど う な よ
do (o) na yo
や
ya
針上
百6

重下
重下
針上
し ンだ (ア) る こ や な ぎ
shi n da (a) ru ko ya na gi
百7
二の説
し だ る こ や (ア)
shi da ru ko ya (a)
今上下懸鈎詞或略不歌同多故也
し だ る か い て は(ワ)
shi da ru ka i te wa
百8
百9
な ぎ
na gi
以下上に同じ
な よ (ヲ) や し ンだ
na yo (o) ya shi n da
百10
(ア) る こ や な ぎ
(a) ru ko ya na gi
百11
百12

第二段

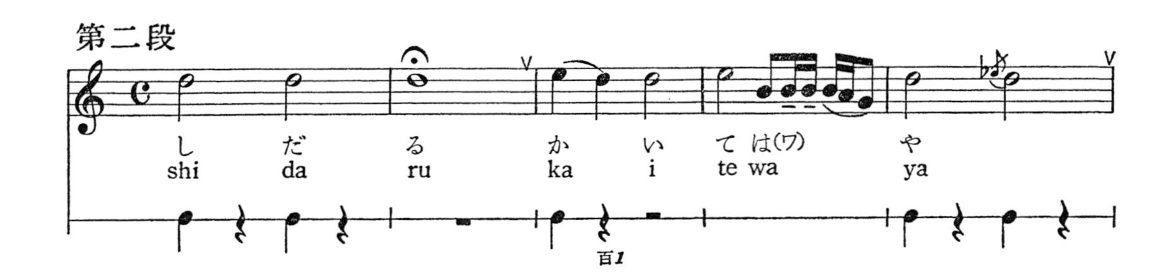
しだるかいては(ワ)や
shi da ru ka i te wa ya
百1

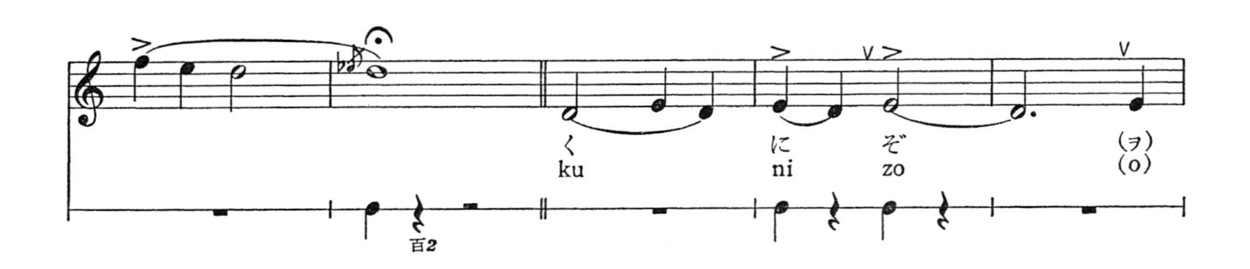
くにぞ(ヲ)
ku ni zo (o)
百2

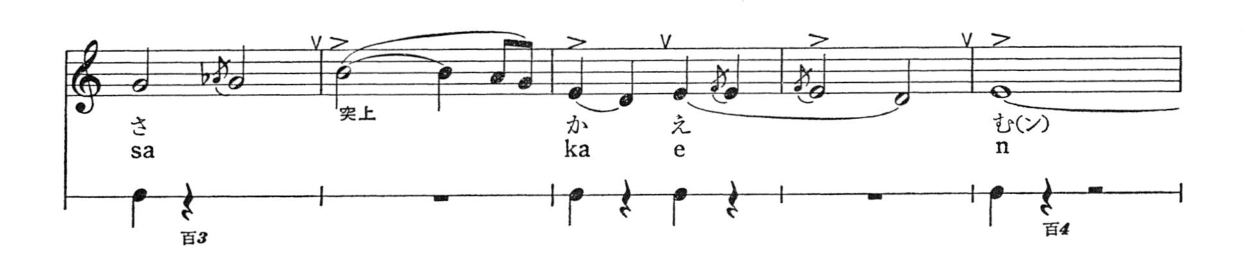
さ
突上
かえむ(ン)
sa ka e n
百3
百4

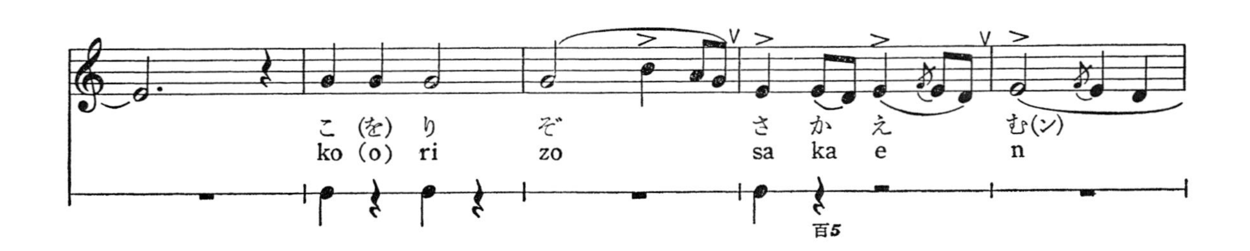
こ(を)りぞさかえむ(ン)
ko (o) ri zo sa ka e n
百5

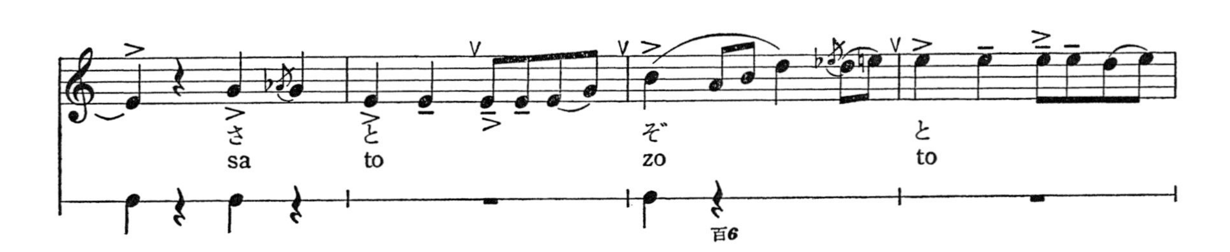
さとぞと
sa to zo to
百6

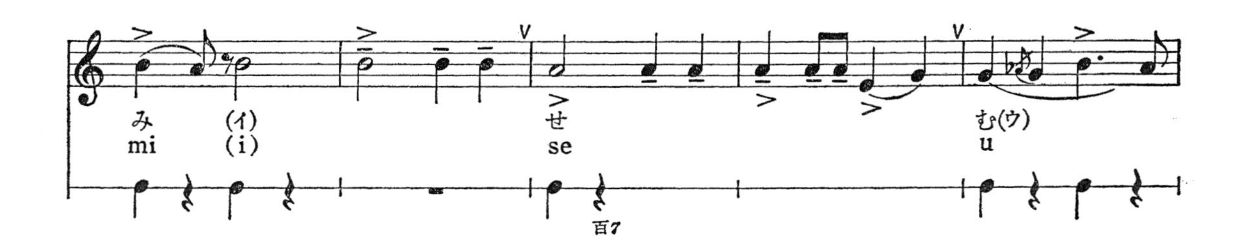
み (イ) せ む(ウ)
mi (i) se u
百7

(ゥ) わ い へ ぞ
(u) wa i e zo
汰下
百8

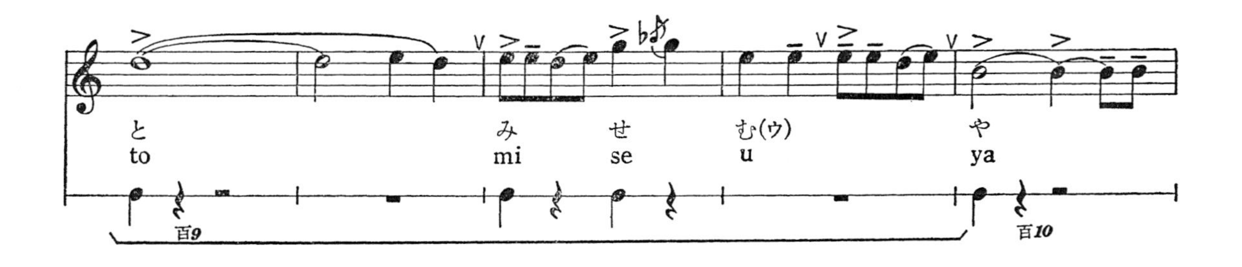
と み せ む(ウ) や
to mi se u ya
百9
百10

(ア) 針上 し ン だ (ア) る こ 針上
(a) shi n da (a) ru ko
百11

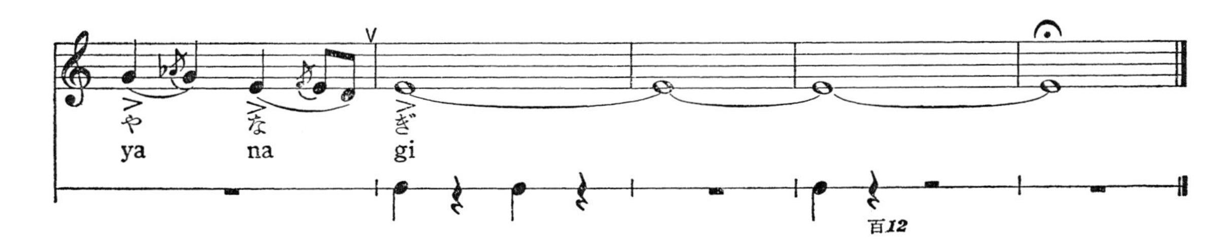
や な ぎ
ya na gi
百12

菅　　村

Solo
す　が　む　ら
Su ga mu ra
放歌音
の (ヲ) や
no (o) ya
百1
は　れ　こ　す　(ウ)
ha re ko su (u)
高上早歌
tutti
♩= 60
百2
が (ア) む ら の
ga (a) mu ra no
百3
や (ア) む ら
ya (a) mu ra

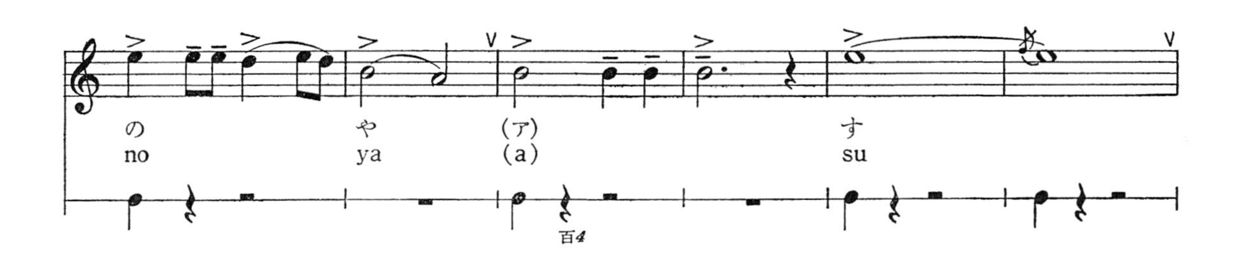
の
no
や
ya
(ア)
(a)
す
su
百4

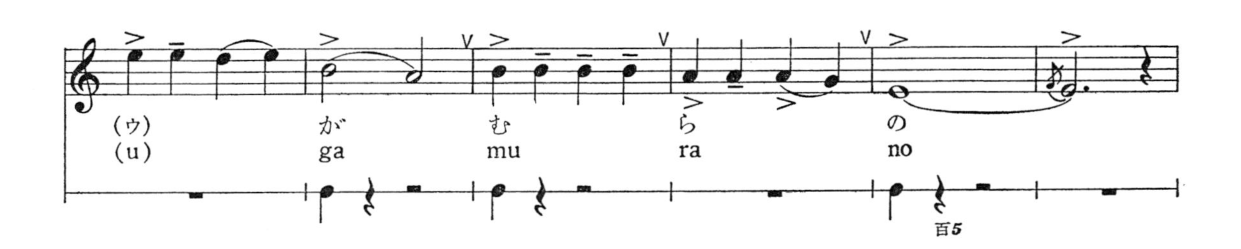
(ゥ)
(u)
が
ga
む
mu
ら
ra
の
no
百5

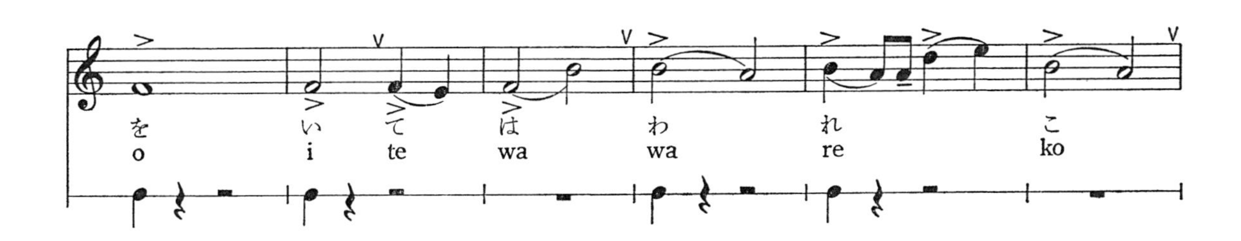
を
o
い
i
て
te
は
wa
わ
wa
れ
re
こ
ko

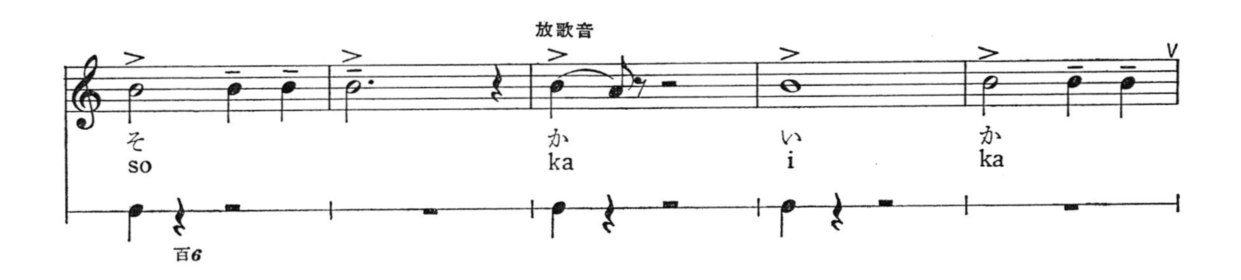
放歌音
そ
so
か
ka
い
i
か
ka
百6

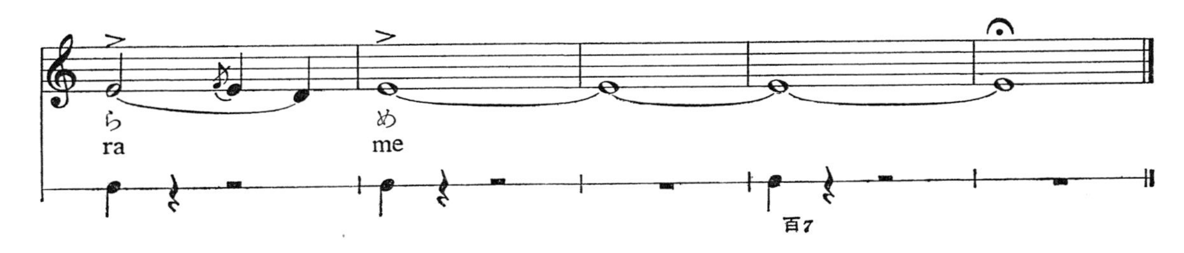
ら
ra
め
me
百7

常陸爾波

（常陸歌）

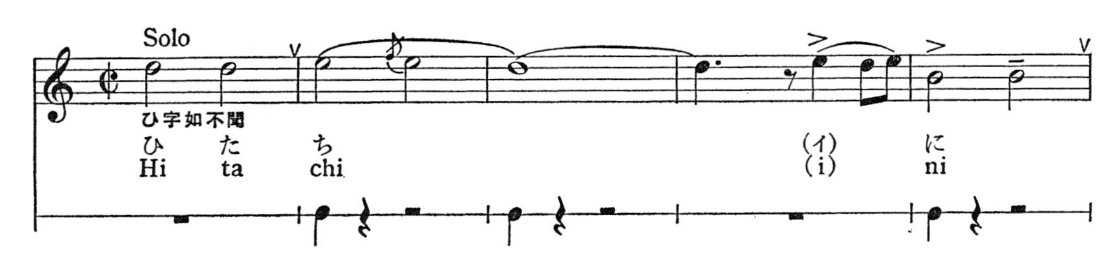
Solo
ひ字如不聞
ひ た ち (イ) に
Hi ta chi (i) ni

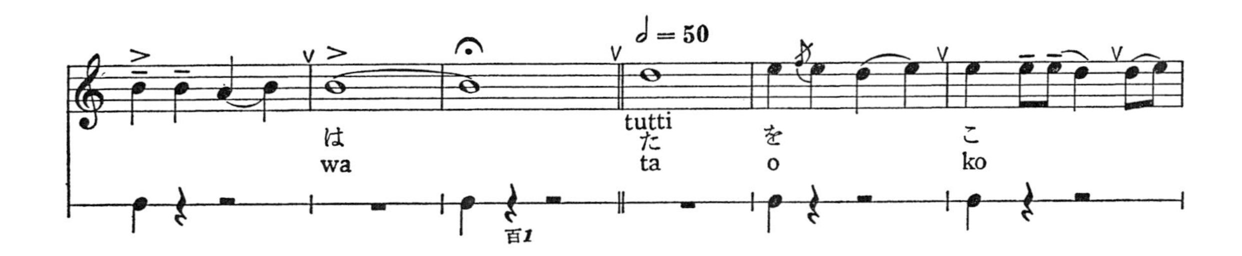
𝅗𝅥＝50
tutti
は た を こ
wa ta o ko
百1

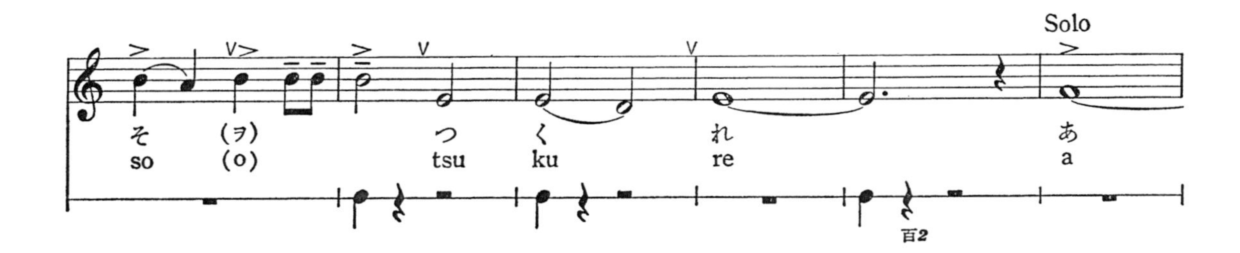
Solo
そ (ヲ) つ く れ あ
so (o) tsu ku re a
百2

だ ご こ ろ
da go ko ro

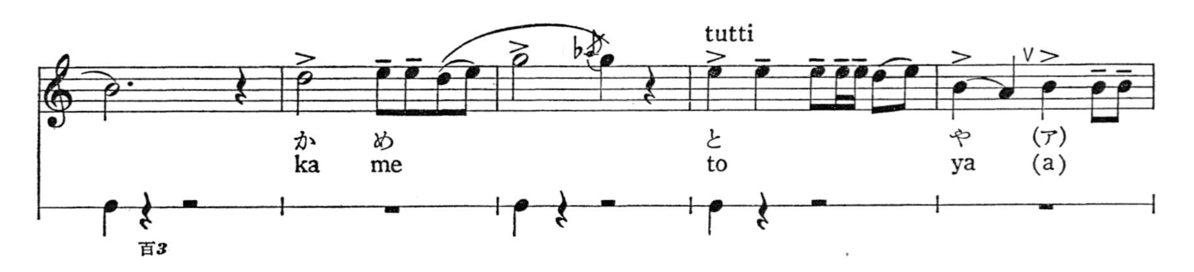
tutti
か め と や (ア)
ka me to ya (a)
百3

Solo
き み は や ま を
ki mi wa ya ma o
百4

tutti
こ え の を
ko e no o

こ え あ ま
ko e a ma
百5

よ き ま (ア)
yo ki ma (a)
百6

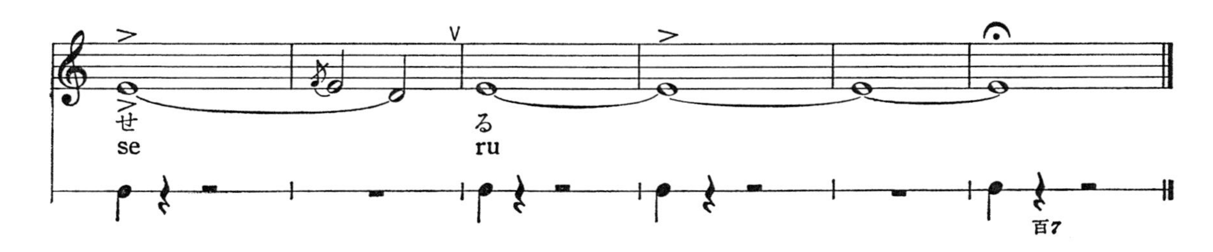
せ る
se ru
百7

『風俗古譜』の風俗と比較
してみた諸歌曲の訳譜

風俗

難波乃都布良江 五拍子 拍子四

（三五要録による）

其　駒

= 50-60
神楽歌
其駒
風俗化せる
其駒
そ の こ ま (ア)
So no ko ma (a)
ぞ や (ア) わ
zo ya (a) wa
(ア) れ (エ) に わ (ア) (ア) れ
(a) re (e) ni wa (a) (a) re
(エ) に く (ウ) さ
(e) ni ku (u) sa
こ (ヲ) (ヲ) (ヲ) ふ (ウ) (ウ)
ko (o) (o) (o) fu (u) (u)

く ン さ は と り (イ)
ku n sa ha to ri (i)
か は(ワ) (ア) (ア) む(ウ) (ウ) (ウ)
ka wa (a) (a) u (u) (u)
み づ は と り
mi zu ha to ri
(イ) く ン さ は (ア) と
(i) ku n sa ha (a) to
り か は(ワ) (ア) む(ウ) (ウ) (ウ)
ri ka wa (a) u (u) (u)

神楽歌

早韓神

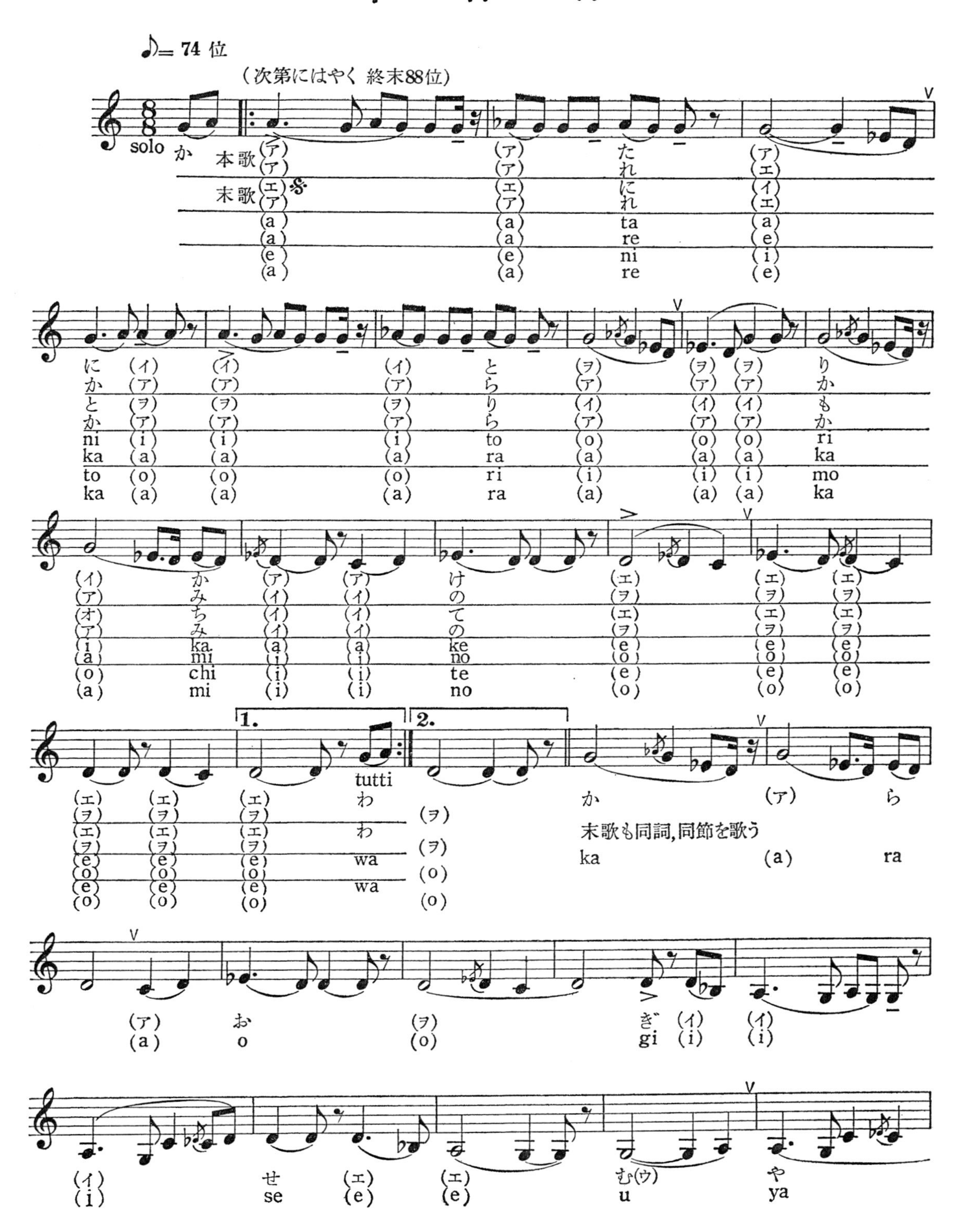
♪= 74 位
(次第にはやく 終末88位)
solo
本歌
末歌
か (ア) (ア) た (ア) にか (イ) (イ) (イ) とら (ヲ) (ヲ) (ヲ) り (イ) かみ (ア) (ア) け (エ) (エ) (エ) (エ) (エ) (エ) わ (ヲ)
(ア) (ア) れ (エ) か (ア) (ア) (ア) ら (ア) (ア) (ア) か (ア) みち (イ) (イ) の (ヲ) (ヲ) (ヲ) (ヲ) (ヲ) (ヲ)
(エ) (エ) に (イ) と (ヲ) (ヲ) (ヲ) り (イ) (イ) (イ) も (オ) ちみ (イ) (イ) て (エ) (エ) (エ) (エ) (エ) (エ) わ (ヲ)
(ア) (ア) れ (エ) か (ア) (ア) (ア) ら (ア) (ア) (ア) か (ア) み (イ) (イ) の (ヲ) (ヲ) (ヲ) (ヲ) (ヲ) (ヲ)
(a) (a) ta (a) ni (i) (i) (i) to (o) (o) (o) ri (i) ka (a) (a) ke (e) (e) (e) (e) (e) (e) wa (o)
(a) (a) re (e) ka (a) (a) (a) ra (a) (a) (a) ka (a) mi (i) (i) no (o) (o) (o) (o) (o) (o)
(e) (e) ni (i) to (o) (o) (o) ri (i) (i) (i) mo (o) chi (i) (i) te (e) (e) (e) (e) (e) (e) wa (o)
(a) (a) re (e) ka (a) (a) (a) ra (a) (a) (a) ka (a) mi (i) (i) no (o) (o) (o) (o) (o) (o)
1.
2.
tutti
か (ア) ら
末歌も同詞,同節を歌う
ka (a) ra
(ア) お (ヲ) ぎ (イ) (イ)
(a) o (o) gi (i) (i)
(イ) せ (エ) (エ) む(ウ) や
(i) se (e) (e) u ya

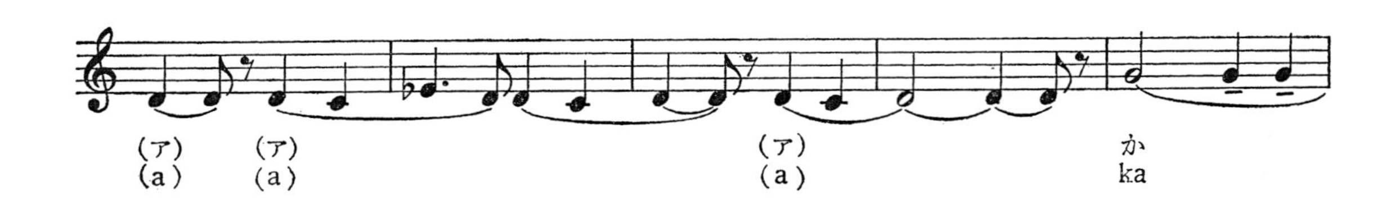
(ア) (ア) (ア) か
(a) (a) (a) ka

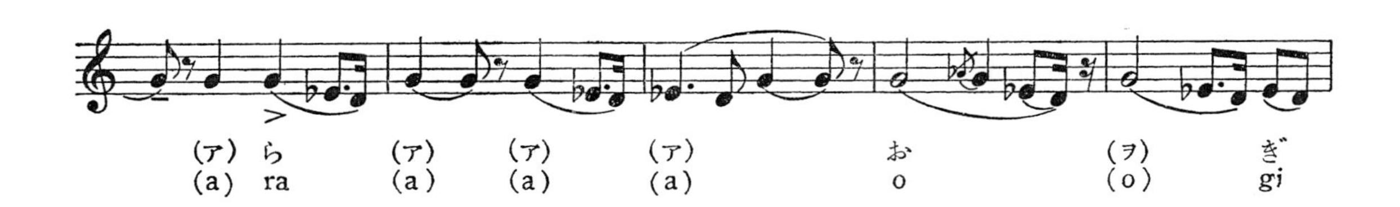
(ア) ら (ア) (ア) (ア) お (ヲ) ぎ
(a) ra (a) (a) (a) o (o) gi

1.
2.
末歌 D. S.
(イ) (イ) て (イ) か (ア) ら
(i) (i) te (i) ka (a) ra

(ア) お (ヲ) ぎ (イ) (イ)
(a) o (o) gi (i) (i)

(イ) せ (エ) (エ) む(ウ) や
(i) se (e) (e) n ya

1.
2.
(ア) (ア) (ア) (ア) (ア)
(a) (a) (a) (a) (a)

神楽歌

早　歌

(上拍子)

𝅗𝅥＝40　次第にはやく

1	本 末	や Solo や tutti	ア ア	さ い	ア　む(ン) イ　む(ン)	ぎ　の と　は
2	本 末	や や	ア ア	あ わ	ア　か ア　む(ン)	が　り れ　も
3	本 末	や や	ア ア	と わ	ヲ　む(ン) ア　ア	ね　り れ　も
4	本 末	や や	ア ア	あ せ	ア　ち エ　エ	の　や や　ま
5	本 末	や や	ア ア	こ か	ヲ　の ア　み	ゑ　の の　ね

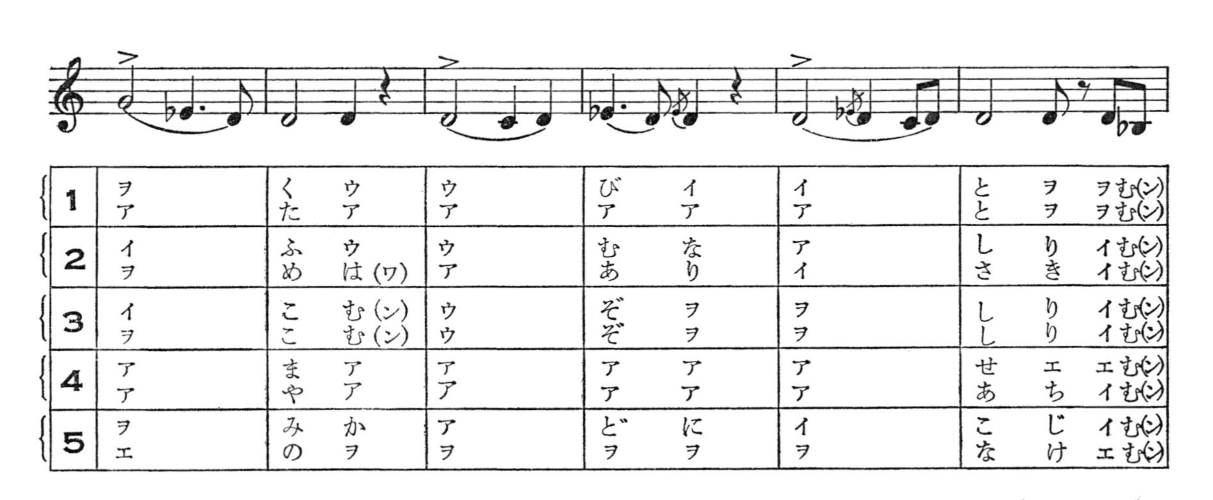

1	ヲ ア	く　ウ た　ア	ウ ア	び　イ ア　ア	イ ア	と　ヲ　ヲむ(ン) と　ヲ　ヲむ(ン)
2	イ ヲ	ふ　ウ め　は(ワ)	ウ ア	む　なり あ　り	ア イ	し　り　イむ(ン) さ　き　イむ(ン)
3	イ ヲ	こ　む(ン) こ　む(ン)	ウ ウ	ぞ　ヲ ぞ　ヲ	ヲ ヲ	し　り　イむ(ン) し　り　イむ(ン)
4	ア ア	ま　ア や　ア	ア ア	ア　ア ア　ア	ア ア	せ　エ　エむ(ン) あ　ち　イむ(ン)
5	ヲ エ	み　か の　ヲ	ア ヲ	ど　に ヲ　ヲ	イ ヲ	こ　じ　イむ(ン) な　け　エむ(ン)

1	ろ　ヲ ろ　ヲ	ヲ　む(ン) ヲ　む(ン)	ど ど	6	本 末	や や	ア ア	ゆ す
2	な　ア な　ア	ア　る ア　る	こ こ	7	本 末	や や	ア ア	た お
3	こ　ヲ こ　ヲ	ヲ　む(ン) ヲ　む(ン)	ぞ ぞ	8	本 末	や や	ア ア	こ か
4	や　ア の　ヲ	ア　む(ン) ヲ　む(ン)	ま せ	9	本 末	や や	ア ア	を し
5	を　と れ　エ	ヲ　い エ　む(ン)	つ ば	10	本 末	や や	ア ア	あ ひ

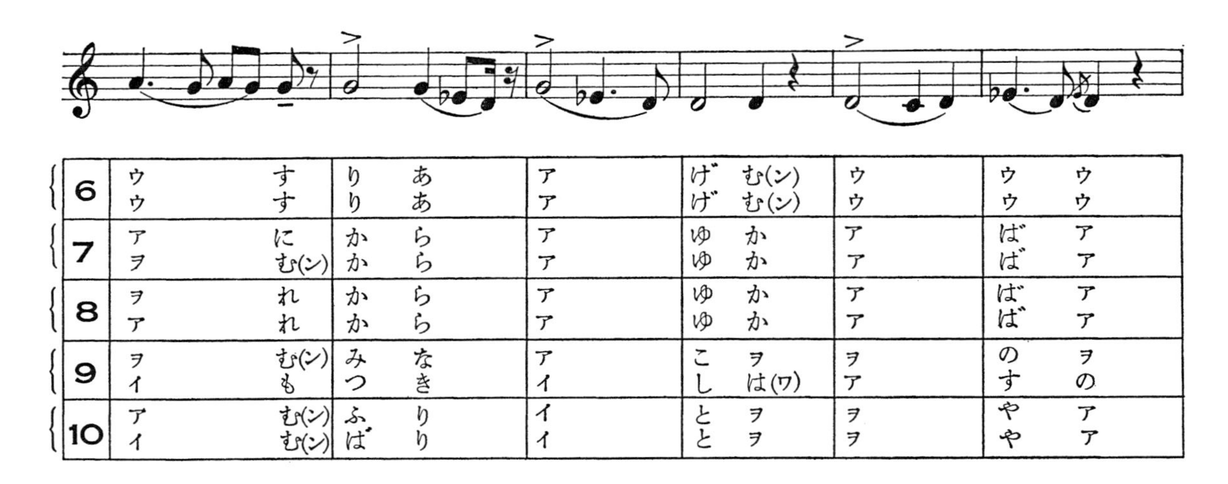

6	ウ　す ウ　す	り　あ り　あ	ア ア	げ　む(ン) げ　む(ン)	ウ ウ	ウ　ウ ウ　ウ
7	ア　に ヲ　む(ン)	か　ら か　ら	ア ア	ゆ　か ゆ　か	ア ア	ば　ア ば　ア
8	ヲ　れ ア　れ	か　ら か　ら	ア ア	ゆ　か ゆ　か	ア ア	ば　ア ば　ア
9	ヲ　む(ン) イ　も	み　な つ　き	ア イ	こ　ヲ し　は(ワ)	ヲ ア	の　ヲ す　の
10	ア　む(ン) イ　む(ン)	ふ　り ば　り	イ イ	と　ヲ と　ヲ	ヲ ヲ	や　ア や　ア

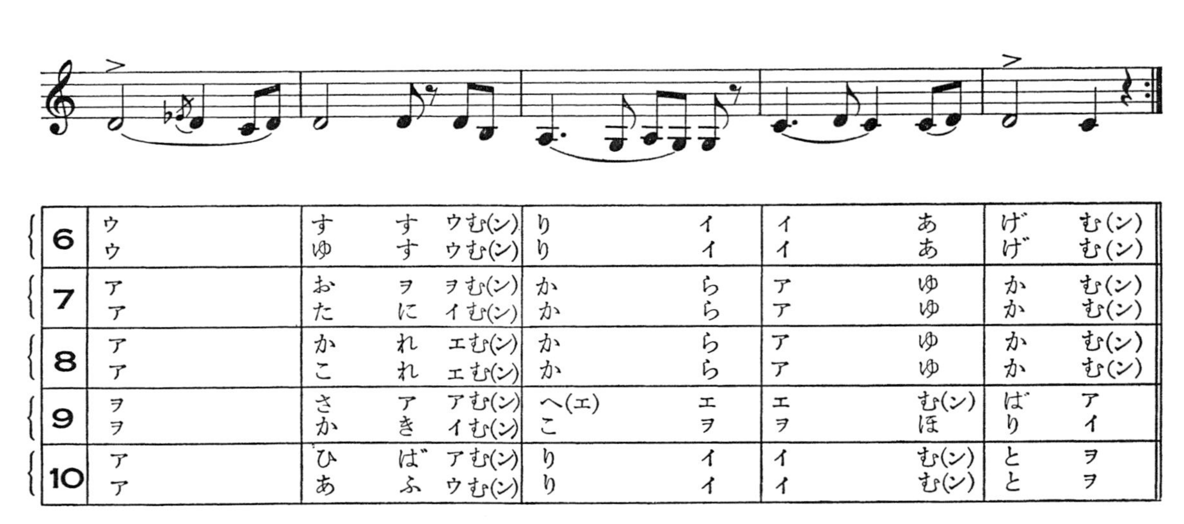

6	ウ ウ	す　す　ウむ(ン) ゆ　す　ウむ(ン)	り　イ り　イ	イ　あ イ　あ	げ　む(ン) げ　む(ン)
7	ア ア	お　ヲ　ヲむ(ン) た　に　イむ(ン)	か　ら か　ら	ア　ゆ ア　ゆ	か　む(ン) か　む(ン)
8	ア ア	か　れ　エむ(ン) こ　れ　エむ(ン)	か　ら か　ら	ア　ゆ ア　ゆ	か　む(ン) か　む(ン)
9	ヲ ヲ	さ　ア　アむ(ン) か　き　イむ(ン)	へ(エ)　エ こ　ヲ	エ　む(ン) ヲ　ほ	ば　ア り　イ
10	ア ア	ひ　ば　アむ(ン) あ　ふ　ウむ(ン)	り　イ り　イ	イ　む(ン) イ　む(ン)	と　ヲ と　ヲ

神楽歌

朝　　倉　五拍子　拍子六

（楽　拍　子）

き む(ン) の (ヲ) (ヲ) (ヲ) (ヲ)
な む(ン) の (ヲ) (ヲ) (ヲ) (ヲ)
ki n no (o) (o) (o) (o)
na n no (o) (o) (o) (o)
百2
ま ろ (ヲ) (ヲ) (ヲ)
り を (ヲ) (ヲ) (ヲ)
ma ro (o) (o) (o)
ri o (o) (o) (o)
百3
rit.
ど の (ヲ) (ヲ) に (イ) や
し つ (ウ) (ウ) つ (ウ) や
do no (o) (o) ni (i) ya
shi tsu (u) (u) tsu (u) ya
百4
わ が を (ヲ) (ヲ)
ゆ く や (ア) (ア)
wa ga o (o) (o)
yu ku ya (a) (a)
百5
れ (エ) (エ) ば (ア) (ア)
た (ア) (ア) れ (エ) (エ)
re (e) (e) ba (a) (a)
ta (a) (a) re (e) (e)
百6

催馬楽
青　　柳
五拍子 各段 拍子六
二　段
第一段
空拍子
容　由
あ　を　や　ぎ
A　o　ya　gi
抽音
♩= 80位
助音
イ　(i)
を　o
二段助音
かぬ　ka nu
たふ(ウ)　ta u
いと　i to
百2
容　由
抽音
とい(ユ)　to yu
にふ(ウ)　ni u
(イ)(ウ)　(i)(u)
よか　yo ka
百3
入節
りさ　ri sa
ては　te wa
(エ)(ア)　(e)(a)
や(ア)　ya (a)
百4
容　由
おお　o o
けけ　ke ke
やや　ya ya
(ア)(ア)　(a)(a)

入 節
うう UU
ぐめ gu me
(ウ)(エ) (u)(e)
ひ(イ)の i no
(イ)(ヲ) (i)(o)
百5
す 入 節
は su ha
の な no na
(ヲ)(ア) (o)(a)
百6
容 由
おか o ka
けさ ke sa
やや ya ya
同二段 句頭
容 由
う U
ぐ gu
ひ(イ) i
百1
(イ) (i)
容 由
す su
抽 音
(ウ) (u)
の no
百2

催馬楽

更　　衣　三度拍子　拍子十三

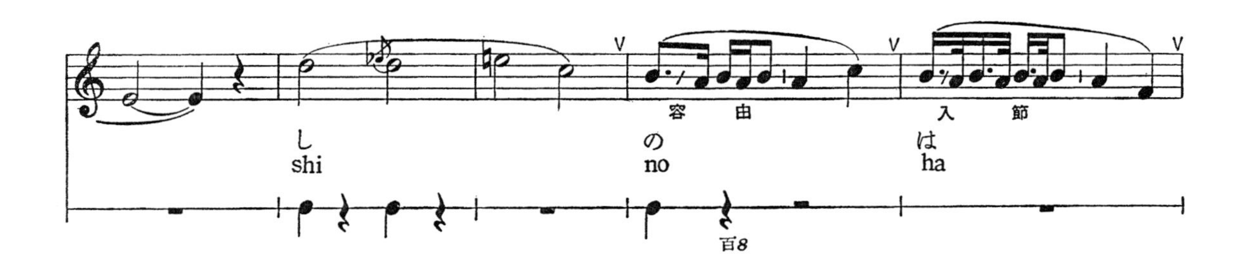
容 由
入 節
し の は
shi no ha
百8

容 由 容 由
ら (ア) は ぎ
ra (a) ha gi
百9

の は な す り
no ha na su ri
百10

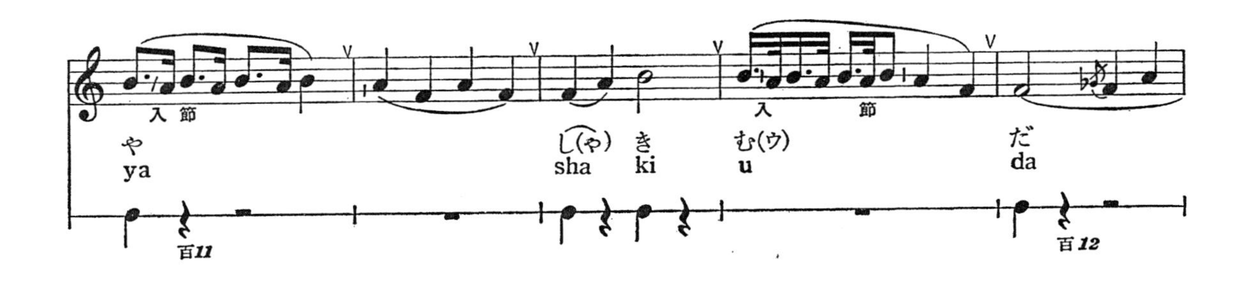
入 節
入 節
や し(や) き む(ウ) だ
ya sha ki u da
百11
百12

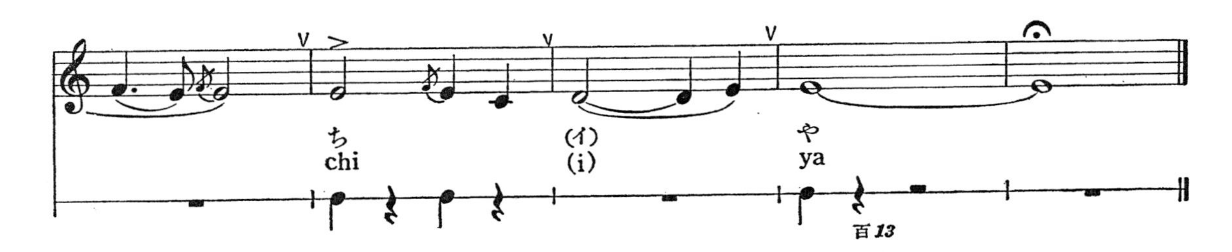
ち (イ) や
chi (i) ya
百13

風　俗　歌　詞

風俗歌詞十四首

（1）鳴(なり)　高(たかし)

第一段

なりたかしや，なりたかし，

　おほみやちかくて，なりたかし，

あはれの，なりたかし．

第二段

おとなせぞや，みそかなれ，

　おほみやちかくて，なりたかし，

あはれの，なりたかし．

第三段

あなかまこどもや，みそかなれ，

　おほみやちかくて，なりたかし，

あはれの，なりたかし．

（2）難(な)波(は)乃(の)都(つ)布(ぶ)良(ら)江(え)

第一段

なはのつぶらえの，

　はるなれば，かすみてみゆる，

　（あきなれば，きりたちわたる，）

なはのつぶらえ.

第二段

つぶらえのせなや,

　　はるなれば，かすみてみゆる,

　　あきなれば，きりたちわたる,

なはのつぶらえ.

(3) 玉垂（たまだれ）

第一段

たまだれの，かめ（瓶）をなか（中）にすへ（据）て,

　　あるじ（主人）はもや,

さかなもりに，さかなもとめに.

第二段

こゆるぎのいそ（磯）に，わかめ（若布）かりやげて,

　　あるじはもや,

さかなもりに，さかなもとめに.

(4) 知々良々（ちちらら）

ちちららがかど（門）に，うそぶい,

　　まろ（麿）こそたて（立）てれ，てうど（調度）をひさげ（提）て,

などかはや，たてりしもせざらむ,

　　をのれかや，いとこせのかどに,

てうどをひさげて.

(5) 東道

あづまぢに, かるかやの, よこをほぢに,
なさけを, かいかるかやの,
みねむばや, こともやすらに,
かるかやの, しさや,
かいかるかやの.

(6) 筑波山

つくばやま, はやましげやま,
しげきをぞや, たがこもかよふな,
したに, かよへ, わがつまは, したに.

(7) 荒田

あらたにおふる, とみくさのはな,
てにつみれて,
みやへまいらむや, かつたえ.

(8) 甲斐加祢

かひがねは, しろきは, ゆきかや,
いなをさの, かひのけごろもや,
さらすてつくりや, さらすてつくりや.

(9) 伊勢人（いせびと）

いせびとは，あやしきものぞや，
　　などといへば，をぶね（小舟）にのりてや，
なみのうへをこぐや，
なみのうへをこぐや．

(10) 大鳥（おほとり）

おほとりの，はね（羽）に，やれなむ，
　　しもふれり，やれなむ，
たれかさいふ，
　　ちどりぞ，さいふ，
　　かやぐきぞ，さいふ．
あらじや，あらじ，
　　ちどりも，いはじむ，
　　かやぐきも，いはじむ，
みとさぎも，きやう（京）よりきて，さいはじ．

(11) 八乙女（やをとめ）

第一段

やをとめは，わがやをとめぞ，
　　たつや，やをとめ，たつや，やをとめ．

第二段

かみのます，このみやしろに，
(かみのいます，たかまのはらに)
たつや，やをとめ，たつや，やをとめ．

(12) 我（わが）門（かど）

第一段

わがかどのや，しだるこやなぎ（柳），
さはれ（シヤ），トウドウ，ナヨヤ，
しだるこやなぎ，しだるかいては，
ナヨヤ，しだるこやなぎ．

第二段

しだるかいてはや，くに（国）ぞさか（栄）えむ，
こを（郡）りぞさかえむ，さと（里）ぞと（富）みせむ，
わ（我）いへ（家）ぞとみせむや，しだるこやなぎ．

「かいて」ハ「かへ（エ）で」デハアルマイカ．

(13) 菅（すが）村（むら）

すがむらのや，ハレ，こすがむらのや，
むらのや，すがむらの，
をいては，われこそ，かいからめ．

(14) 常（ひた）陸（ち）歌（うた）

ひたちには，た（田）をこそつ（作）くれ，
あ（他）だごゝ（心）ろ，かめとや．

きみは，やま(山)をこ(越)え，の(野)をこえ，
　あま(雨)よ(夜)き(来)ませる．

風俗と比較してみた諸歌曲の歌詞

其(その)　駒(こま)〔神楽歌〕

そのこまぞや，われに，われに，
　　くさこふ，くさはとりかはむ，
みづはとり，くさはとりかはむ．

早(はや)韓(がら)神(かみ)〔神楽歌〕

本(もと)　歌

かたにとりかけ，われからかみの，
　　からおぎせむや，からおぎ．

末　歌　本歌ヨリ連唱

てにとりもちて，われからかみの，
　　からおぎせむや，からおぎ．
からおぎせむや，からおぎせむや．

早(はや)　歌(うた)（上(あげ)拍子）〔神楽歌〕

第一段

本歌　や，さぎのくび，とろど．

末歌　や，いッとはた，とろど．
（糸張ツテ）

第二段

本歌　や，あかがりふむな，しりなるこ．
（アカギレ）

末歌　や，われもめはあり，さきなるこ．

第三段

本歌　や，　とねりこ(シリ)むぞ，　しりこ(アトジサリ)むぞ．

末歌　や，　われもこ(シリ)むぞ，　しりこむぞ．

第四段

本歌　や，　あちのやま，　せやま．

末歌　や，　せやまや，　あちのせ．

第五段

本歌　や，　このゑのみかどに，　こじをといつ．

末歌　や，　かみのねの，　なければ．

第六段

本歌　や，　ゆすり(鼻水をか)あげむ，　すゝりあげむ．

末歌　や，　すゝりあげむ，　ゆすりあげむ．

第七段

本歌　や，　たにからゆかば，　おからゆかむ．

末歌　や，　おからゆかば，　たにからゆかむ．

第八段

本歌　や，　これからゆかば，　かれからゆかむ．

末歌　や，　かれからゆかば，　これからゆかむ．

第九段

本歌　や，　をみなこの，　さへば．

末歌　や，　しもつきしはすの，　かきこほり(コワシ)．

第十段

本歌　や，　あふりとや，　ひばりと．

末歌　や，　ひばりとや，　あふりと．

朝倉（楽拍子）〔神楽歌〕

本歌　あさくらや，　きのまろどのにや，

わがをれば.

末歌　わがをれば，なのりをしつつや，
ゆくやたれ.

青柳〔催馬楽〕

第一段
あをやぎを，かたいとによりてや，
オケヤ，うぐひすの，オケヤ.
第二段
うぐひすの，ぬふといふかさは，
オケヤ，むめのはなかさや.

更衣〔催馬楽〕

ころもがへせんや，シヤキンダチ，
わがきぬは，のはらしのはら，
春夏　はぎのはなずりや，シヤキンダチや.
(秋冬　はなのはなずりや，シヤキンダチや.)

「はなずりや」ハ唱ウトキニハ「はなすりや」ト唱ウ.

解　　説

1. 風俗の譜の定められた時期と『風俗古譜』について

風俗の譜の定められたのは，神楽歌，催馬楽などと同様に，延喜の頃，醍醐天皇の御代(898–931)のことだと書いてある文献があるが，小中村博士の『歌舞音楽略史』によると，これは当にならないようだ．しかし，それから五十年あまりを経た一条天皇の御代(987–1011)には，すでに風俗の譜が定められており，唱われていたことは明かである．

さて，風俗は当初，乎津久波，鴛鷹，之太乃浦，越方，小車，月面など称するのもあって，二十首以上もあったらしいが，『風俗古譜』にはそのうちの十四首しか載っていない．これ以外のは，歌詞だけ伝っていて，肝心な歌譜が伝ってないのは残念だ．なお『三五要録』の第四巻にも，『風俗古譜』の場合と同様に，同名の風俗の譜が同数しか載せてない．この点から考えると，十四首以外のは，おそらく，曲趣があまり良くないので，いつとはなしに唱われなくなっていたので，どちらの譜にものせなかったのだろう．

それはとにかく，私の訳譜した『風俗古譜』は多近方，同近久などが唱っていた風俗十四首を，後に多久資が記譜したのである．これらについては，別項の平出君の筆になる「原拠本の条」を参照されたい．ここには多近久がいつ頃の人だったかを知る好箇の記録があるから，次に引用しておく．

『三五要録』第四巻の終りに，「此巻以自筆書之訖　入道従一位藤原師長」とある後の風俗裏書に，

〈仁安二年*三月十六日，依有所思参籠平野社，範基，近久等今夜同在社頭，予奉幣之隙召社司朋友閑談，其間近久唱風俗，予執琵琶弾之，後勧一献訖倭舞有之，範基歌因風俗之調，密々弾四絃，(後略)····〉

* 仁安２年(1167) 六条天皇，院政 後白河上皇，平清盛太政大臣となる．武臣太政大臣の始．

2. 風俗の流派

催馬楽に少なくとも三流あったように，風俗にも二三の流派があったと見てよい．風俗の譜を訳譜するに当り，実は，その一首ごとに『三五要録』の風俗の当面の琵琶譜と対照してゆく間に，どうにも一致させえない箇所が続出するので，後者の風俗の譜は別流の風俗に対して作成したものにちがいないことに気がついた．これによって，久資の書いた風俗が唯一のものではなく，曲節のかなりちがった風俗も唱われていたことが明かになったわけである．

勿論，もとは一つの曲節のものだったにちがいないから，その大体においてはかわらないが，時を経るにつれて，曲節を相当かえて唱うものも出で，やがて何流の風俗，某流の風俗などと称するものが現われたと思う．

『大鏡』八に，風俗に流派のあったことを窺知できる条があるから，かなり長文であるが，次に引用しておこう．

〈此殿(源雅信)こそ，荒田におふるをば，なべてのやうに，うたひかへさせ給ひけれ．一条院の御時の臨時祭の御まへのことはてゝ，上達部たちの物見にいで給ひしに，外記のすみのほどすぎさせ給ふと，わざとはなくて，くちずさびのやうに，うたはせ給ひしが，中々，いうに侍りし．とみくさのはな，手につみいれて，宮へまゐらむ，のほどを，れいのには，かはりたるやうに，うけ給はりしかば，とほきほどに，おいのひがみゝにこそはと，おもひ給へしを，この按察大納言殿(藤原公任)も，しかぞの給はせける．殿上人にてありしかば，とほくて，よくもきかざりき．かはりたりしやうの，めづらしう，さまかはりておぼえしは，あのとのの御事なりしかばにや．又も，きかまほしかりしかど，さもなくてやみにしこそ，今に，くちをしくおぼゆれとこそのたまふなれ．〉

荒田の曲節を知らない人には，これを読んでもほとんど興味を与えまい．それはとにかく，これによって，荒田ばかりでなく，その他の風俗もこのように曲節をかえて唱った人のあったことが窺われると思う．このようにして，既述のように，やがて，いくつかの流派が生れ，最後に最も高く評価された近方流の風俗が現われたのだと思う．『体源抄』に〈多近方は最上手なりしぞ云々〉とあるのは，単に，この人の美声，その唱いぶりばかりでなく，その流の風俗の曲趣其物も最もすぐれていたからだと見てもよかろう．

ついでに，『源氏物語』五若紫に，風俗に和琴（わごむ）を用いていたことを明かにする条があるから，これも引用することにした．

〈きみは大殿におはしけるに，れいの女君，とみにもたいめんし給はず．ものむつかしく覚え給て，あづまをすがゝきて，ひたちには田をこそつくれ，というたを，こゑは，いとなまめきて，すさびゐ給へり．〉

これによって，常陸歌ばかりではなく，ほかの風俗の和琴譜もあったことが窺知できるわけだ．

なお，常陸歌の曲節を知っておれば，光源氏が気をまぎらそうと和琴を弾きながら，どんなに美しい声で，どんな風に唱っていたろう，あの最高音の(ト)音の辺（あたり）をやすやすと唱えたであろうか，などと想像することもできるわけだ，〈ひたちには田をこそ云々〉とただ読み流すのとは興味に格段の相異があろう．

3. 風俗と風俗歌とについて

大嘗会の都度唱われる風俗歌と，その後の大饗宴に歌舞される風俗舞とを風俗と称する人が多いので，この場合の風俗と称するものと『風俗古譜』に記載されてある十四首の風俗とを混同される恐があるから，これについてすこし触れておきたい．

風俗と簡単に称しがちな風俗歌及び風俗舞は，大嘗会の為に，その時の悠紀（ゆき），主基（すき）両地方の民謡，古謡，流行唄などの旋律を採り，新たに作られた歌に作曲されたものをいうのである．たとえば，催馬楽の美作（みまさか）は貞観の主基の風俗，席田は元慶の悠紀の風俗などと書いた文献があるが，これらの場合の風俗は，それぞれの折の大嘗会に唱われた風俗歌または風俗舞を意味するのである．

ちなみに，催馬楽の美作，席田を風俗その物と見るのはあやまりである．これらは上記の折の風俗歌または風俗舞の旋律を採り，三度拍子型もしくは，五拍子型に整え，これに，容由または入節及び突（つき）等を適用して催馬楽化したものなのだ．

要するに，『風俗古譜』の風俗は，大嘗会にはまったく関係のない別種のものだ．なおまた，このほかに，各地方の民謡を風俗と称していたようだが，これらとも別種のものである．

4. 原拠本について

訳譜にもちいた原拠本は，古事記を撰した太(多)安萬侶の後裔で，古来より神楽歌の宗家として著名な多氏の本家に伝来する『風俗古譜』である．このたび当主，多忠昭君が珍蔵の秘譜の公開と，訳譜を快諾されたことは，楽界，学界のため，まことによろこびにたえない．

原本の体裁は紙本墨書の巻子本で，紫檀木軸，濃紺紙装，縦27 cmほどの，かなり荒れた長尺物である．外題に『風俗古譜』とあり，内題は欠如．なお，外題は本文とは別筆で，巻頭の由緒書の筆者の多忠暉の筆であろう．外題の下に蔵書票が貼付してある．

巻首の多忠暉の由緒書の次が本文で，目次，本譜，巻末に伝来奥書をのせている．

巻首の多忠暉の由緒書は，巻末の伝来奥書とともに，本譜の成立と伝承を示している．この由緒書は墨色も落付かない書体で鳥子紙に記され，本文との紙継の契印に大丸型の蔵書印がものものしく押されている．

多忠暉の由緒書は次の通り書かれている．

〈此風俗古譜，中古庶流忠季別家之節，相譲リ渡処之古譜也．今度忠恕家，他姓ヨリ被養子候ニ付，如元本家江相納畢．尤養子忠彦江此写相譲畢．仍而秘蔵之譜面也．

天保九年戌八月

従四位下　多嫡出下野守

忠暉記之〉

この由緒書によって，此譜はもと多氏本家の所蔵であったが，中古に多忠季が分家をするときに譲渡されたもので，忠季の後裔の忠恕に嗣子がなく，他姓から忠彦を養子にむかえたので，血縁のもの以外には譲渡を許さなかったほどの秘譜のゆえに本家へ返還させ，忠彦へは写本を与えたことが知られる．(忠季の分家や忠彦のことについては後述）由緒書に書かれている事実は，本譜の江戸時代に於ける伝来を示してはいるが，それ以前の伝来状態については，巻末の伝来奥書を参照する必要がある．

本文の伝来奥書は次の三項から成る．

第一奥書．文治二年二月五日，にわじ(仁和寺)の御むろ(室)のおほせによりて，ふそく(風俗)十四す(首)さながらさ(授)つけたてまつりをはぬ(ン)．たびたびまいりて，くはしく御さたあり，ひじ(秘事)ひとつものこることなし．

右近将監 多近久 在判

第二奥書．承元二年十月七日，以御本書写了．尤可秘蔵不可有外見．万歳麿．

第三奥書．風俗十四首．無残所于右近将監久春畢．于時正応第二暦七月中旬候．

前周防守 多久資 花押

この伝来奥書は，すでに高野辰之博士が，『日本歌謡集成』で〔文治奥書本風俗譜〕の奥書として紹介されており，学界では熟知の奥書である．すなわち冗述するまでもなく，高野博士が既発表の〔文治奥書本風俗譜〕の原本に相当するのが本譜である．

高野本には第三奥書の年紀が「正応二年」と「暦」の字ではないのが異っている．（岩波本の武田博士の『神楽歌，催馬楽』も「年」とある）

ここで由緒書と本文奥書を綜合勘案して，本譜の成立・伝来を検討してみよう．

文治2年2月5日に仁和寺御室の仰で多近久が秘事をさずけたときに書かれた譜で，仁和寺御室は後白河院第二皇子の元守性，のち守覚法親王と改め，喜多北院御室といわれる好楽家である．久安6年(1150) 3月4日生，嘉応元年(1169)補御寺務，建仁2年(1202) 8月25日没，五十三歳．文治2年(1186)には三十七歳に当る．多近久(1124–1213)の六十三歳のときの伝授であった．

承元2年(1208) 10月7日に万歳麿が写譜しているが，この年には守覚法親王はすでに没し，近久は八十四歳で生存しており，万歳麿は恐らく歌曲の伝も受けたであろうと思われる．

万歳麿については，『郢曲相承次第』の源済政条に，〈藤原宗平子息宗雅卿為孝継(孝道末子，号万歳蔵人)弟子，令再興家業〉とみえ，『尊卑分脈』にも，藤原孝道一孝継(蔵，万歳蔵人母)とあって，孝道(1166-1237)の末子が万歳蔵人と呼ばれていたことや，また，『郢曲相承次第』に，〈孝継又習覚法親王，彼法親王当家(源家)資時朝臣写瓶弟子也．依令窺諸流給，若以藤家説被授孝継歟．〉と孝継が守覚法親王から郢曲を授けられている記事などから推定して，万歳麿と万歳蔵人とは同人物で，藤原孝継であると断定したい．孝道は藤家師長(1138-92)の高弟であり，近久の風俗を琵琶譜に採譜しておるなど，守覚，近久，孝道，孝継の音楽交流から，孝継が近久から風俗の伝をうけたことや，守覚からも孝継は風俗を習ったと推定しても間違いはあるまい．また孝継の二人の子息も仁和寺の僧となり，禅遍僧都，継尊律師となり，孝道も長男孝時も仁和寺と関係は深い．孝継の生卒年月は不詳である．

正応2年(1289)7月中旬に多久資(1214-95)から四男の久春(1256-1344)に歌曲と譜本を伝えたが，久資の歌曲伝承は，近久—節近(ときちか)—久行—久節—久資の血脈や前記孝継からの相伝が考えられる．

久春の伝承がその後に，どうなっているか，また，久資の長男久氏以降の伝承の様子は，本譜に記されてないので明らかでない．恐らく，応仁乱(1467-77)を画して廃絶したものと考えられるが，すでにそれ以前の廃絶も推定される．というのは，多氏系譜を按ずるに，久春の流は，久春—久成(1285-1360)—〔嫡流〕久脩(1338戦死)—久博(1259横死)．〔庶流，久成二男〕久邦(1327-60)—久兼(1379)と断絶しており，久資の流も，久資—久経—久景—久彦—久主—久乙と，久乙の代に至り，久乙とその子久武，久松の父子三名が流行病で死没したことが，『看聞御記』応永28年(1421)6月26日の条にみえ，この流のみ相承の採桑老舞も断絶したとある．よって風俗の曲節も応仁乱以前に廃絶したものとも考えられる．本譜もこの頃に多氏の本家に移管されたのではあるまいか．そのように推定をしなければ，本来は「久」字を名乗通字とする久家という久資の庶流一族の秘譜である本譜が「忠」字を名乗通字とする多氏の本流の本家へ伝わるわけがない．江戸期にも久家の統は(忠家という)脈々として存したが，忠家からは原譜の返還をしなかったものと認められる．

忠家の所有に帰した『風俗古譜』は，多氏本家忠宗(1506–88)の代に忠雄(長男1540–1603)と忠季(二男1545–1621)に分かれ，由緒書によって忠季に譲渡されたことがわかる．忠季には忠重，忠房，忠秀，忠之の四子があり，本譜は忠之(1587–1656)に譲られ，以後は忠之—忠胤(1642–1709)—忠寿(1666–1749)—忠長(1721–98)—忠林(1751–1809)—忠恕(1789–1839)と相伝されてきたが，忠恕には嗣子がなく，通例は多氏の同族から養子をむかえるのだが，格好な人物が居なかったので，安倍季随の長男の季梁(後ち忠彦と改む)を養子とした．忠彦(1809–62)が安倍という他姓からの養子であるので，『風俗古譜』は再び多氏本家の所有となった．多氏本家忠暉(1790–1841)—忠寿(1818–73)—忠賀(1834–96)—忠基(1896–1922)—忠亮(1895–1929)—忠昭(1928–)の当代に伝わって，今度公開されるに至ったのである．本来は久家に伝わるべきものが，忠家に伝えられた事情は，なお勘案すべき点もあるが，一応の解釈をつけ，上述の如き仮説をたててみたのである．

以上で訳譜の原拠本の伝来についての粗述を終るが，なお考勘すべきことが多いが，不備の点は他日に譲る．

5. 打当った訳譜上の難点

昭和26年に訳譜した旧風俗譜の場合より音の高低，諸音の上(あが)り下(さが)りを知るのは遥かに容易であったが，拍子，リズムの点ではかなり悩まされた．それは，五拍子物か三度拍子物かを知るのが困難だったからだ．

どれが五拍子の風俗で，どれが三度拍子の風俗か，というようなわかりきったことまでいちいち書いておくに及ぶまい．どうせ，多くの人のために書くわけではない．わが家の子孫，後裔に，唱って伝える場合に役立てばよいぐらいの気持で，この『風俗古譜』を多久資は書いたものか，それとも，だれでも，この墨譜さえ読めば，十四首の風俗をどれでも唱えるように，わかりやすく書いておいたら，この譜を盗まれるようなことがあってはと，万一の場合を恐れて，この程度のものにとどめたのか．それはとにかく，要するに，勿論，前の墨譜の場合ほどではなかったが，この『風俗古譜』の判読は，容易なものではなかった．

第一に，片仮名字がかわるごとに，ほとんど必ず，朱点が附記されている．よくみると，朱点が一点のところと二点のところがある．それが何を意味するのか，さっぱりわからなかった．研究の結果，これらは拍子上の指示ではないように思われたので，この点はあまり気にしないで仕事をすすめることにした．

その後，平出君の信州からの教示によって，朱点一つは清音を，二点は濁音を示すことがわかった．これを歌詞に適用してみると，たしかにそれにちがいないことを知った．ただ，

ツクバヤマ　を　ツクハヤマ　と

ナハ(ワ)ノツブラエ　を　ナバノツブラエ

とよむことになるような場合を発見したが，これらは，むろん，朱点の打ちあやまりだろう．

第二に「百」の字の記入してあるのと，その記入のまったくないのとがある．百

の字を見出すのは，次の四首にすぎない．

(1)鳴　高　　　(2)難波乃都布良江

(3)荒　田　　　(4)八乙女

(1)(2)の百の記入は，まず可とするが，(3)には，それの落としがある，(4)には，第一段では百が四つだが，その第二段には百が五つになってる，というような具合で，百の字もあまり当にしないことにした．百の字をまったく見出せないのは，上記の四首以外の風俗の墨譜である．

第三に，朱丸の記入されているのと，それが全然見られないのとがある．朱丸の見られないのは次の五首である．

(1)玉垂　(2)知々良々　(3)東道　(4)筑波山　(5)菅村

ただし，歌詞の右側へ寄せて記入してある句切，段落を示す朱丸は別とする．このための朱丸は，もちろん，この五首にも見られる．

さて，歌詞の左側に記入されてある朱丸はすべて，笏拍子を打つところを示すことが，ようやくわかり，それによって，その風俗が五拍子のものか三度拍子のものかが，大体見きわめられることがわかってきた．が，当然この辺りにあるべく思われる所に，それが見られない場合もあるので，朱丸の有無も必ずしも当にならぬと思い，時には，勝手に想像でやるより仕方があるまいと考えた場合もある．

次に，朱丸の記入のない上記の五首の風俗はどうして訳譜できたか．これについては，昭和26年の訳譜の際にさかのぼって，すこし書いておきたい．その時は，風俗は多くの神楽歌のように，拍子の不可測的な，いいかえれば，間を測ってゆけない歌曲か，それとも，其駒の上拍子のように，各小節の第一拍毎に，間断なく笏拍子を打って唱うものかも，その墨譜からはっきり知ることができなかったのだ．まして，風俗にも，催馬楽の場合のように，五拍子物と三度拍子物の二種あることを、その墨譜から読みとることなど思いもよらぬことだったのだ．

それが，たまたま，『古事類苑』楽舞部一の「風俗歌」の部に引用してある『体源抄十下』の(風俗事)の条に，

〈風俗有拍子，多者催馬楽拍子なり，相交て有三度拍子也云々〉

とあるのを発見し，はじめて，風俗にもこの二種のあることを知ったのであった．これによって，風俗は拍子の可測的なものであり，なお，其駒の上拍子のように，毎小節に笏拍子を打ってゆくものでないことも，むろん明かになったわけであった．

しかし，『体源抄』には，十四首の風俗のどれとどれが催馬楽拍子物で，なにとなにが三度拍子物かについては言及してないのでがっかりした．ある日，ふと，『三五要録』の第四巻の終りの方に，風俗の譜といっても，それは琵琶譜だが，載っていたような気がするので，早速それを調べたところ，幸にも，風俗の十四首の譜が記載されているばかりでなく，次のようなことまでも判ったのである．

催馬楽拍子の，いいかえれば，五拍子の風俗は次の八首であること．

(1)鳴　高　　(2)難波乃都布良江
(3)玉　垂　　(4)知々良々
(5)東　道　　(6)筑波山
(7)菅　村　　(8)常陸歌

三度拍子の風俗は，むろん次の六首．

(1)荒　田　　(2)甲斐加祢
(3)伊勢人　　(4)大　鳥
(5)八乙女　　(6)我　門

ちなみに，この『三五要録』の第四巻は，十二巻より成る中の一冊で，これには催馬楽の呂歌三十四首の譜のほかに，まったく断絶してしまったと見なければなるまいとされていた藤家説の二十二首の譜も載せてあるので，いざという際には，この一冊だけはと別にしておいたので，あの昭和20年5月25日の東京大空襲の夜，辛じて持ち逃げられたもので，残りの十一巻は家もろとも灰燼に帰してしまった．せめて，今一冊，催馬楽の律歌二十一首以上も記載してある第三巻も別にしておけばよかったのに，と今なお残念に思う．それはとにかく，その頃は，まだ，風俗など，てんで問題にもしてなかったのだから，この第四巻に風俗の十四首全部載っていることすらまったく気付いていなかったのだ．

さて，前の風俗の墨譜によっての訳譜の場合に，この第四巻があったからこそ，ともかくも一応風俗全部の訳譜ができたのである．今度，この『風俗古譜』による訳譜の場合にも，第四巻は大いなる助けとなった．徳川時代にこの『風俗古譜』によってその二三首の復活を企てた人があったが，結局失敗に終ったとかいうのは，多分，このような参考譜もなく，五拍子物か三度拍子物かもわからなかったためではなかろうか．

ここで本論に戻るが，朱丸の(百の字も)記入のない上掲の五首の風俗はすべて，『三五要録』の同名の風俗の場合のように，ともかくも，五拍子物と見做すことにし，『三五要録』の風俗の五拍子打法は藤流のであるが，『風俗古譜』のそれは，源流のだと推定して訳譜をすすめてみた．この仮定，推定はこの五首の大体の構造を知るのに，とくに有効だった．(源流のだと推定したのは，次の二点からである．すなわち，多流の楽拍子の朝倉が源流である点と，『風俗古譜』の三度拍子打法が源流のそれである点からであった)

これで，大体の見当はついてきたが，その各八小節内の諸音の動き，その各小節内に含む音の数，そのリズム等をこの墨譜から正しく読みとることが次の一仕事であった．が，

〈火〉，〈小火〉，〈引〉，〈放歌音〉，〈節を縮て早歌〉，〈汰下〉，〈汰引〉等の記入文字の研究，突(つき)の検討，『体源抄』のいう「投げ」の研究などによって，上記の諸点も次第にわかってきた．(なお，これらの記入文字等については別項参照)

ここで，また，すこし横道にはいって触れておきたいのは，拍子のない，すなわち，拍子の不可測的な風俗もあったとか，唱われていたにちがいないとか思っている人もあるからだ．なるほど，上記の五首の風俗など，百の字も朱丸も記入されてないから，そう思われやすい．だが次の諸点から，やはり，拍子の可測的なものであることが，おのずから明かになると思うのである．

(1)玉垂には，〈汰下〉及び〈投〉げの箇所があり，(2)知々良々には，〈汰下〉及び〈節を縮て早歌〉の箇所があり，(3)東道と(4)菅村には，〈投〉げ及び〈放歌音〉の箇所があるからだ．拍子の不可測的なものに，このような手法(もの)を適用しても，ただ，

おかしな，滑稽な悪効果を得るばかりである．いいかえれば，拍子の可測的なものに適用するからこそ，おもしろい良効果が得られるのだ．なお，(5)筑波山には，そのような記入のある箇所は，まったく見られないが，全曲を通して唱ってみれば，やはり，可測的な風俗にちがいないことが明かになると思う．

さて，上記の様にして，『風俗古譜』の風俗十四首の訳譜を完了しえたことは，自分ながら，ちょっと不思議な気がする．もちろん，一首毎に，何度となく唱ってみたり，横笛で吹いてみたり，ピアノやバイオリンで奏いてみたりした場合もすくなくないが，偶然，僥倖で，うまくいったと思う箇所も多い．ともかくも，これが今の精一杯のところだ．これ以上は，だれか他の方，後世の方の検討，研究に期待したい．

訳譜を完了してから，ほっとした気分で，あれこれと，くちずさんでみると，なかなかおもしろいところがすくなくない．同じような旋律型を見る風俗が，かなりあるが，ほとんどどの風俗にも捨てがたいものがあると思った．ただ八乙女だけはいただきかねる．ちなみに，『三五要録』の八乙女は三度拍子だが，『風俗古譜』のは五拍子物であることが，あとでわかった．

さて，今の人には，風俗はおそらく何等の興味も与えまい．だが，平安朝時代にさかのぼって考えられたら，その頃こんなものが唱われていたのかと，多分，驚かれる人も多かろうと思う．その当時の人々にとっては，これほどたのしめる，しかも純日本的な唱物は，他になかったろう．このことは，『体源抄』に，〈四条大納言の仰せられけるは，風俗うたわぬ人，雨の日，徒然をいかにしてかくらすらむ云々〉とあるのでもうかがわれると思う．(四条大納言は『和漢朗詠集』の著者でもある藤原公任のこと，長久2年(1041)七十六歳没)

そんな風俗が，なぜ，雅楽寮の撰に洩れ，雅楽の部門に入れられなかったのだろう．たぶん一部の人々があまりに野趣横溢すぎると反対したからだと思う．なお風俗が御遊の曲目のうちに，ほとんど加えられることがなかったのも，それがためであったろうが，他面，催馬楽や朗詠のような簡易なものでないから，その頃のだれにでも，ちょっと習えば，どうにか唱えるというようなものでなかったからでもあろう.

風俗が世に知られなくなったのも，これに関する文献が頗るすくないのも，以上のような点からだと見てよかろう．それはとにかく，音楽的見地からいえば，風俗は催馬楽にまさるとも劣らないもの，朗詠よりは遥かに高位の唱物だと私は思う.

次に，書きおとした二三の点について，つけ加えておきたい.

（1） 鳴高，難波乃都布良江のように，三段または二段よりなる風俗の第二段に，〈已下詞並に節与第一段同〉と附記されたところがあるが，節は必ずしもそうでない場合があるので，省略しないで全部かくことにしたこと.

（2） 伊勢人は甲斐加祢と同音，同一旋律の歌といわれているが，なるほど，大体は同音ではあるが，多少異ったところもあること．なお，この二首の訳譜のうちに，×記号を附記した所があるが，それは『風俗古譜』に「五(ゴ)」とあるのを「干(カン)」の間違いと見做して，勝絶(ヘ)としないで，平調(ホ)としたこと．なおまた，『風俗古譜』の伊勢人の墨譜の後に，次の注意が書かれてあるから引用しておこう．〈多近久云，ナミノウヘヲコグヤと二返同様に唱ふ事常説なり．或は次の度は終のヤの字を略して不唱云々〉そのあとに，〈此歌三十一字以此曲為本雖何和歌随時唱之，即是通憲入道所語也云々〉．伊勢人の歌詞には字余りがあるが，とにかく，いろいろの三十一字の和歌をこの曲につけて唱ったこともあったのだろう．この点からいえば，甲斐加祢も同様だと思うが.

（3） 十四首の歌詞の中には，どうにも解らぬところがすくなくない．たとえば，荒田における「カツタエ」，大鳥における「ヤレナン」「アラジヤ，アラジ」のように．こんなところは，囃子詞だとかいって片付けてしまえばとも思ったが，そうもゆかないので，追って，その道の方に御教示を願うことにし，解らなかったところには，点々を附記して，そのことを明示しておいた.

（なお，催馬楽拍子，三度拍子については，別項参照）

6. 催馬楽拍子と三度拍子

催馬楽拍子は，馬楽，これをかきかえれば，駒楽，すなわち「高麗楽」から採った拍子型を意味する雅楽語．くわしくいえば，高麗楽の四拍子物(よひょうしもの)の三鼓(さんのつつみ)の打法を採り，これを変型せるものにすぎないので，この名称をつけたのだ，と私は解釈する．これを「五拍子」とも称するのは，その各区切(八小節間)に，笏拍子を五打する点からである．ちなみに，催馬楽の催の字は，もと，採の字を用いていたのを，後にこれにかえたのだ，と思う．

さて，この催馬楽拍子，即ち五拍子の打法には，藤家流のと源家流のとの二種ある．次の図を参照されたい．藤流のは三小節目に打ち，四小節目は打たない．すな

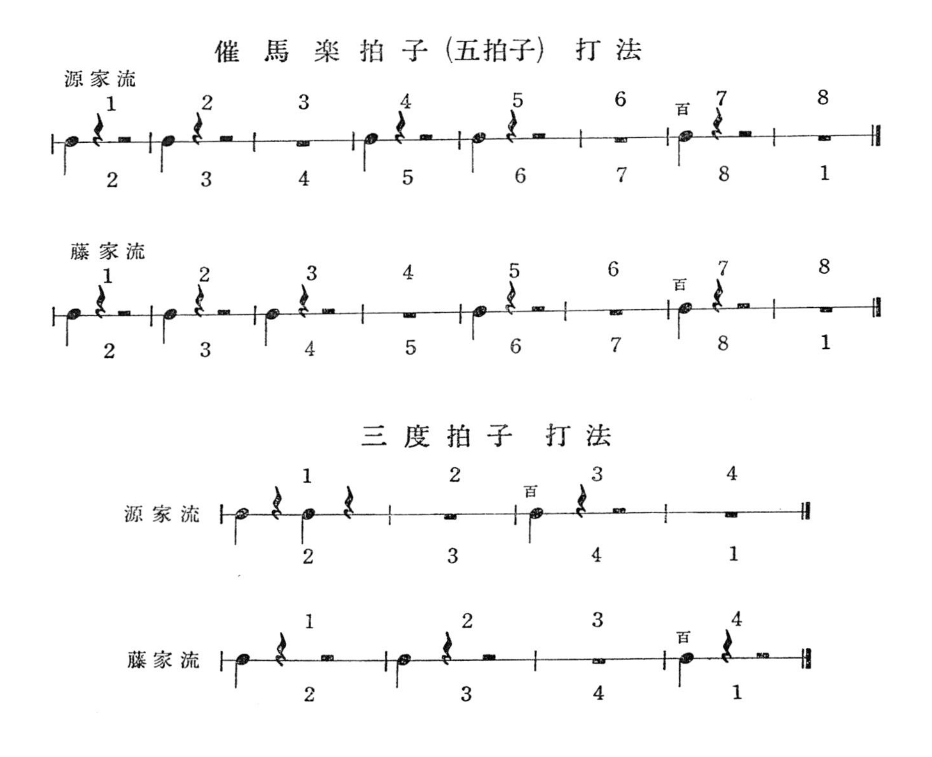

わち休止にする．これを百の字の次の小節から数えれば，四小節目に打ち，五小節目は休止となるわけだ．源流のは三小節目が休止，四小節目が打．百の次の小節からいえば，四小節が休止，五小節目が打となるわけだ．藤源両流の打法の相異はこれだけのことで，各八小節に五打する点ではまったく同じだ．こんな説明は蛇足的で，図だけの方がかえってよかったかもしれない．それはとにかく，これだけの区別を心得ておれば，その催馬楽なり，その風俗なりが何流のかは容易に知ることができる．たとえば，『三五要録』の催馬楽及び風俗の五拍子物はすべて，藤流のそれらに対して作成せる譜であること，『仁智要録』の催馬楽の五拍子物も藤流のに対する譜であること，また『催馬楽略譜』の催馬楽の五拍子物は藤流のではなく，源流のであること等々が，これによって造作なくわかるのだ．

ところで，こまったことに，上記の両流の五拍子打法のいずれにもあてはまらない場合があるのだ．それは綾小路家の秘譜の一つである〔唱物譜〕と表記してある譜本に載っている催馬楽の五拍子の安名尊，山城，伊勢海の三首の場合で（ちなみに，明治撰定の催馬楽譜に於けるこの三首は，上記の〔唱物譜〕のその三首をほとんどそのまま採用しているにすぎないのだから，この場合も同様だ），これらは，まったく不可解千万なもので，江戸時代に（明治に入っても），五拍子がどんなものか判らないものが，催馬楽の再興を企て，徒らに，いろいろと苦心のあげく，でっちあげた，それぞれを，安名長，鷹城，似勢海とでも改称すべき五拍子物だから，上掲の図にあてはまるわけがないのである．

さて，なお，神楽歌の閑歌体の「朝倉」を催馬楽拍子の歌といっているが，このような間をきちんと測って唱わない旋律のものにも，上記の五拍子打法は無論適用しない．

ついでに，三度拍子なるものについて触れておこう．風俗及び催馬楽における三度拍子は，その各一区切（四小節）間に笏拍子を三度打つことから，つけられた名称で，これも高麗楽の四拍子物から，ただし，その加拍子の場合の，（いいかえれば，今の納曽利破の場合の）三鼓の打法から採って，これを変型したものにすぎないと思う．

これにも，既掲の図に見られるように，その打法に藤，源流の二種ある．打法，打ちこむ場所こそかなりちがってはいるが，四小節間に三打する点では，両流ともまったく同じである．『三五要録』の風俗及び催馬楽の三度拍子物の打法，『仁智要録』の催馬楽の三度拍子物の打法は藤流のであるが，『風俗古譜』の風俗の三度拍子物の打法，『催馬楽略譜』，明治撰定の『催馬楽』，『唱物譜』の催馬楽等の三度拍子物の打法はすべて源流のである．

7. 風俗の音階・音域

風俗の音階は次の第一図に見られるように，平調(ホ)を宮(主)音とせる五声，または六声の音階(もの)である．五声の風俗は，知々良々，東道，荒田，大鳥の四首，その他の十首は六声．

諸音の高低を示すのに，『風俗古譜』でも雅楽の大多数の歌譜の場合のように，笛の孔名(手付(てづけ)ともいう)すなわち．亍五丄夕中六を利用している．この六孔の横笛の

第一図

風俗の音階

第二図

風俗の音域

音は，最も自然に，もっとも容易に出せる音であること，風俗の音階がその五音もしくは六音だけで成立せる点に，とくに注意してよいと思う．

「五」で下無(♯ヘ)に唱う所,「六」で上無(♯ハ)に唱う処はない．いいかえれば,「五」のところはいつも(ヘ)勝絶に，(六)のところは常に壱越(ニ)に唱うのである．従って，『風俗古譜』の風俗は律旋の歌でも，無論，呂旋の歌でもないわけである．

風俗の音域は，上掲の第二図が示すように五線下の(ロ)から五線上方の(ト)に至るまで．その半音上の(♭イ)は「突」の場合に用いられるだけである．大鳥，常陸歌，菅村等にその実例が見られる．

甲斐加祢，伊勢人，大鳥，我門の第二段における最高音(ト)を含む箇所は八度下方でも唱ったものだと思う．訳譜にはこれらの部分を括弧で示した．

筑波山，常陸歌の二首は独唱歌であったらしい．最高音の(ト)ぐらい容易に唱える人でなければ，この二首は除外せざるをえない．もし，斉唱した場合もあったな

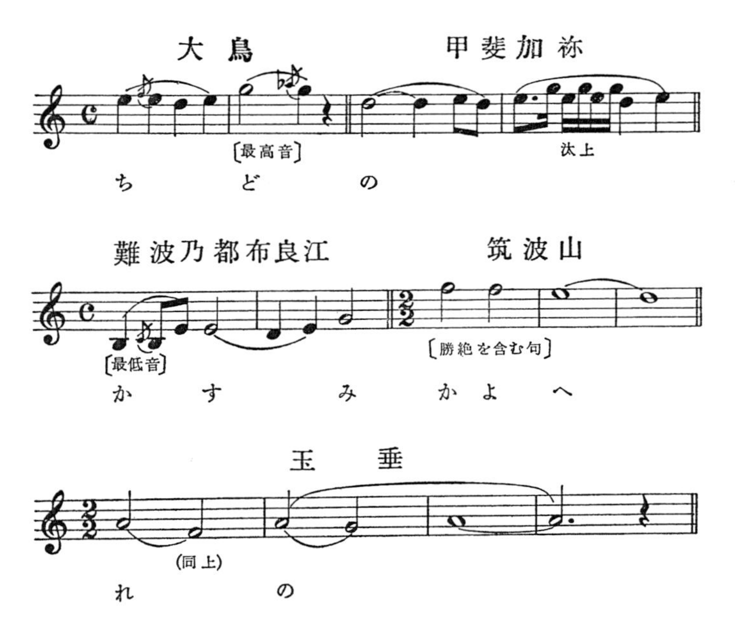

ら，このよう部分は付所 tutti 以下のところでも，独唱者にまかせることになっていたと思う．訳譜には，これらの場合を solo，tutti の二語で表示することにした．なお，この点から推定して，菅村は，最初の十四小節は独唱，それ以後は斉唱であったと思われる．

さて，風俗の唱い出し音は，大抵「六」(ニ)である．ただ，玉垂は二段とも「中」(ロ)から，鳴高の第三段は「⊥」(ト)から，唱いはじめる．また，風俗の中間終止音は，亍，中，の場合が無論多いが，「六」「夕」の場合もあり，とくに留意してよい

のは，しばしば⊥で終止していることである．最終音は，どの風俗でも勿論〒(ホ)である．

8. 風俗の特色及び『風俗古譜』の記入言葉について

（1） 突　風俗の墨譜には次のような箇所を随所に見出す．これらは，いわゆる突のところを示す．この突なるものは，喉佛の上下運動‥‥急速な上げ戻し運動によって出すのであって，顕著な突は，それによって，本音の半音に近い高い音を出すのだが，軽い突，連続的な突は，上記の軽微な運動で出す．その結果は同高度の音を，たとえば，ラララとか，アアアと反復する場合のそれと同じと見てよかろう．訳譜では，半音の突は♪によって，同音的の突は短かい横線を以て，時には，>記号で表示した．

雅楽の歌曲の墨譜のうちに，突のないのを見出すことは極めて困難だ．これのないのは源家説の催馬楽の田中井戸だけではあるまいか．これは突のない歌曲として知られている．

それはとにかく，風俗は突の唱物といってもよいほど突が多い．とくに，連続的な突が多い，この点も風俗の一特色だと思う．

そのかわりか，風俗には神楽歌の閑歌体のものや，朗詠の場合のような「ユリ」はまったく見られない．なお，催馬楽の「容由」とか「入節」とかいうような「ユリの変型」も見られない．ただ，荒田に「容由」に似たようなものがあるだけである．また，突はあるがユリのない点では東遊，大歌，大直日歌，大和歌などに，風俗は似ているが，これらの歌の場合とは比較にならぬほど風俗には突が豊富にある．

（2） 投げ　この言葉は『風俗古譜』には記入されてない．『体源抄』に〈風俗は歌終を必ず投るなり．近久これを投げず，最も定めて様あらむか云々〉とある条のうちから借用したものである．

この中の歌終は，風俗の各首の最終部をいうのではなく，句の終りを意味するの

だと解し，そこには必ず〈投げるところが〉あるとして，『風俗古譜』を検討してみた．どの風俗の最終部にも，これに該当する箇所は見当らないが，句の終りらしい所には，しばしばそれに該当する所，すなわち上掲の諸例のうちに見るような楽型を見出した．これ以外には「投げ」に当る箇所は発見できない．この言葉はこの楽型の名称には至極適切だと思ったので借用したのである．(鳴高，東道等参照)

さて，歌終，句終には必ず投げを適用した別流の風俗も唱われていたかも知れないが，投げの多用は，結局その歌を単調に，やすっぽくしがちになるので，近久は，これをあまり適用しなかったのだと思う．従って，『風俗古譜』にこの楽型を見ることもすくないわけである．

ちなみに，「投げ」の見られない風俗は次の六首．

(1)都布良江　　(2)知々良々　　(3)筑波山

(4)大　鳥　　　(5)八乙女　　　(6)我　門

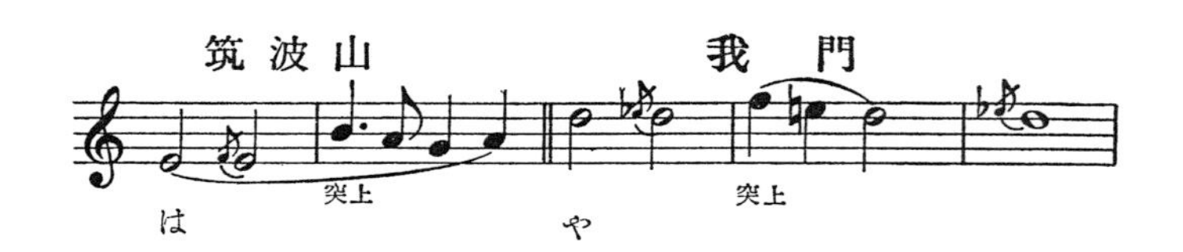

（3） **突上**（つきあげ） これは催馬楽の墨譜にも見られる記入文字であるが，『風俗古譜』では，ある音に突を一つ附加してから，その三度または五度上方の音に移った所には，大抵，この二字を見受けるが，「八乙女」の第二段の場合のように「突」のない後にも見受けることがある．従って，その前の音に突をあたえてから三度または五度上行するからではなく，その場合の上方の音を，つきあげるように勢いよく唱うことを表示するのに用いたのだと見たらよいと思う．

突上の二字の見られないのは，玉垂，大鳥，菅村，常陸歌の四首．なお「八乙女」の第二段には，二度上行の所にこの言葉を見受けるが，これは例外の場合としてよかろう．

（4） **汰下**（ゆりさげ） これは訳譜の場合でいえば，次のような楽型の所に記入されている言葉である．（下掲の諸例参照）東道，筑波山，菅村の三首には見られないが，他のどの風俗にも汰下は適用されているから，これも風俗の一特色と見てよかろう．これのもっとも多く用いられてあるのは甲斐加祢である．

ちなみに，「汰下」，「汰引」の汰を私はタとよんでいたが，平出君は，ユリとよむ

といわれた．ユリとよむと，神楽歌などのユリのようなものと思い違いされやすい．汰下の軽快な突の連続の後の「⊥」(ト)音への下行は，軽く音をたたいてからの下行のようにもきこえるので，これを表示するために，汰の字の本来の意義を無視して，タタクの意味でこの字を選んだのではあるまいか．そう見て，タサゲ，タタキサゲ，汰の氵(さんずい)を三と見做して，「サンタサゲ」などといろいろ考えてみたが，どれも感心しないので，誤解されやすいが，当分，(適当なよみ方がわかるまで)平出君のよみ方に従うことにした．

（5） **汰引**(ゆりびき)　前頁の図に見るように，前記の汰下に似ているが，すこしちがった所がある．この両者は「中」(ロ)から「夕」(イ)を経て「⊥」(ト)へ下行する点では同じだが，汰下は「中」に軽い突を三つ適用し，その末尾音は短かいが，汰引は中の突が二つで末尾音が長い．汰引の引の字はこの点を示すのだと思う．

汰引は，伊勢人，大鳥，八乙女の三首にしか見られない．

また『体源抄』だが，〈風俗にはサゲコエに歌ふところのあるなり．近方サゲコエをうたはざるなり．此人最上手なりしぞ．さるにはあらじ，定めて様あらむか．但，下音あるこそ風俗のやうにはすれ云々〉とあるが，このサゲゴエ，下音は，汰下，汰引のことをいうのではあるまいか．これ以外には考えられない．

（6）**放歌音**(ほうか)　路上などで声高に唱うことを普通放歌というが，風俗の放歌音は，短かく投げすてるように唱う意味で用いた言葉だと思う．これも風俗の特色の一つである．(鳴高，東道等参照)

（7）**重下**　これは筑波山と我門の二首だけに見る記入文字である．前者の重下の意味は漸く判ったが，後者のはどうにも判断がつかないので，この二字を無視して，墨譜の示す通りに訳譜せざるをえなかった．この点をお断りしておきたい．

なお以上のほかに，（8）針上(はりあげ)，（9）汰上(ゆりあげ)，(10)廻下(まわりさげ)，(11)節を縮めて早歌，(12)高上早歌，などの記入された箇所があるが，廻下の他は，すべて風俗独特のものである．それらが，どんなものであるかは，訳譜によって知られたい．

（8）は知々良々，八乙女，我門の三首に見られる．針はちょいと軽くの意．（9）は甲斐加祢だけに，(10)は大鳥だけに，しかも，それぞれただ一箇所に見られるにすぎない．(11)は鳴高と知々良々に，(12)は菅村にあるだけ．

9. 風俗のうたい方・速度・伴奏楽器について

（1） 風俗のうたい方　これもまた例の『体源抄』に〈風俗は古人は戯言の口ずさみのやうに歌ひし〉とある，また，前に引用した『大鏡』及び『源氏物語』にも，〈くちずさびのように〉とあった．勿体ぶって，ものものしく唱う歌でないことは，その曲趣其物からでも明かだと思う．多くの場合，さらりと素朴に，むしろ，すこしおどけた調子で声をはりあげたりしないで，小声で唱うものだと思えばよいのだろう．しかし，筑波山，常陸歌などは大いに，ノドをきかせる歌であったようにも思われる．また，東道，菅村などは，多勢で，独唱部もはさみ，陽気に斉唱した場合もあったと思う．なお，大鳥はとくに，おどけた調子で唱ったのではなかろうか．

（2） 風俗の速度　『風俗古譜』には，それぞれの風俗をどのくらいの速度で唱うのか，それについての指示は全然されてない．例の『体源抄』に〈風俗は律の者也．源師長云，長秋聞之訓云（師忠）風俗は催馬楽よりは延て可歌云々〉とあるが，その頃の催馬楽の速度を知らぬものには，この訓は無意味である．それどころか，場合によっては有害でさえある．たとえば，今日の催馬楽の速度を目安にされたら，風俗はあまりにも緩徐なものになるだろう．今の催馬楽唱奏の速度は多くの場合のろすぎの感がする．が，明治，大正の頃のそれにくらべれば遥かにテンポははやい．その頃の速度ときては，じつに遅々緩々たるものであった．肺活量の貧弱な私には，まったくやりきれないものの一つであった．こんな体験から風俗は，催馬楽よりは延べて，すなわち，緩徐に唱うべしはとんでもないこと！　風俗は催馬楽より速く唱うべしと訂正したい．

それはとにかく，一小節を四拍にとって唱ったと思うのは，難波乃都布良江，甲斐加祢，伊勢人，大鳥，我門．その他の十首は二拍にとって唱っていたと思う．訳譜の各風俗の初頭に，メトロノームで，このくらいかなと思った速度を附記してみた．むろん，参考にすぎない．こんなのを当にされないで，その数字の前後の速度を当ってみられたら，各風俗のそれぞれの適当な速度が比較的はやく，突止められるかも知れないと思ったまでのものにすぎない．

ちなみに，風俗訳譜におけるメトロノーム数字を，後掲の二首の催馬楽の場合のように，各首の初頭に附記しなかったのは，付歌(つけうた)もしくは伴奏楽器のある場合には，付所(つけどころ)…… tutti の近くまでは，任意に，あまり間(ま)にとらわれないように唱うのが，そのころの謡物の慣習になっていたようなので，その場合をも考慮したからである．

また，息(いき)をとるところを，∨記号で示してみたが，この記号は，ホンノ参考にすぎないものと見てほしい．

（3）　風俗の伴奏楽器　多くの場合，「和琴」を弾きながら唱っていたろう．「横笛」の同音的伴奏で唱った場合も多かったにちがいない．これは，基政の催馬楽の笛譜の巻末に，大鳥，我門の譜が載っていることでも推定できる．また，琵琶の伴奏ででも唱ったことは，『三五要録』にその譜が載っていることで明かである．

笙の伴奏　これは風俗には到底向かない．その曲趣を破壊するばかりだ．従って，この楽器は当初から除外されていたと見てよい．豊原順秋とかの風俗の笙譜が二三首伝っているそうだが，そんな譜は問題にするに及ぶまい．

篳篥の伴奏　むろん，笙の場合のように破壊的ではない．しかし，すくなくとも，投げ，汰下，汰引などを含む風俗，突を多く含むものには，どうかと思われる．この点からこの楽器も風俗には用いなかったと見てよいと思う．

箏の伴奏　箏の閑掻(しずがき)は風俗には，多くの場合破壊的だと思う．が，この手法さえ除外すれば，和琴の伴奏より効果的なものとなる可能性がある．この点からこの楽器の伴奏で唱った場合もその譜もあったように思われるが，これについての文献，記録などを見たことがないから，これは私の臆測にすぎない．

もし今日，風俗を唱おうとするならば，横笛と琵琶との伴奏で十分だろうと思うが，琵琶の代りに，和琴または箏を用いてもよい．それはとにかく，いずれの場合にも，横笛の伴奏はあった方がよいと思う．

ちなみに，風俗の和琴譜の伝承があるそうだが（『吉野楽書』とかに），現に，その主体である『風俗古譜』が伝っている以上，それは基政の風俗の笛譜と同様に，重要視するに及ばないと思う．和琴譜が必要ならば，『風俗古譜』によって，適切な譜が作成できると思う．箏譜とても，それと同様なわけだ．なお，琵琶譜が必要ならば，『三五要録』の風俗の譜を参照しながら，『風俗古譜』によって比較的容易に作成できると思う．（既述のように，『三五要録』のその譜は，別流の風俗に対して作成したものであるから，『風俗古譜』の風俗には，そのままでは適用しないわけである）

ついでに，以上の三絃楽器の風俗の譜を作成する必要があった場合の参考に，それらの調絃法についての私案を次にのべる．（下掲の図参照）

和琴はその六本の絃を第一図の順序に調絃する．第六絃は八度上方の音でも可．第二図の（A）は，第一絃から第六絃へかけて順次に弾いた場合の六音，（B）は，その逆の場合の六音を示す．なお，風俗の勝絶「五」（へ）に対しては，第二絃または第六絃を適用すればよいと思う．

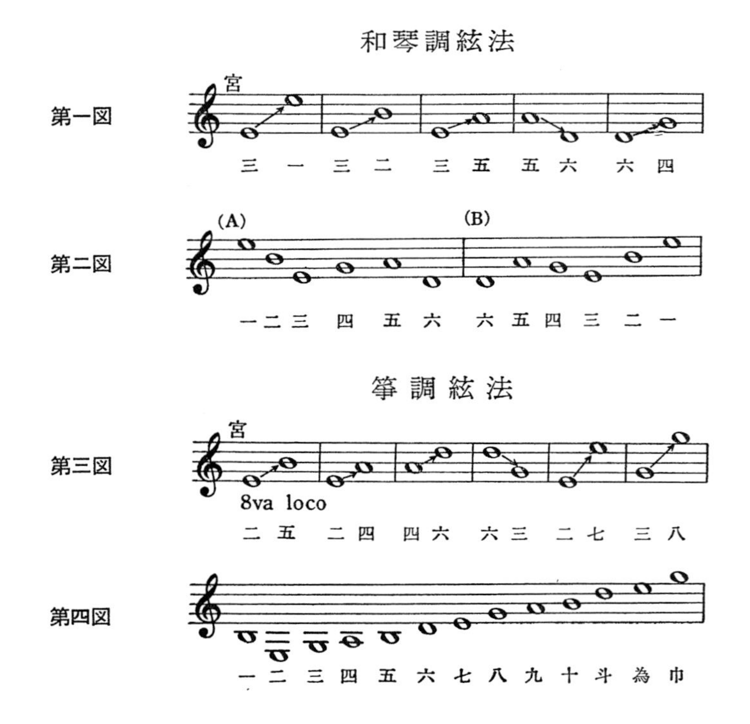

箏はその十三絃を第三図の順序に調絃，九，十，斗，為，巾の五絃は，七，八の場合のようにすればよい．最後に第一絃を第五絃から同高度に調絃する．第四図は，右のように調絃せる十三絃を第一絃より順次に弾いた場合の十三音を示す，このうちには勝絶は含まれてない．風俗の勝絶に唱う箇所に，この音を適用せんとならば，二，七，為，の三絃に推手(おしで)を利用すれば容易に得られる．

最後に，琵琶の場合にも，この勝絶を望むならば，従来の平調の調絃のままではこの音は出ないから，第三絃を二律下げ，壱越に調絃して弾く譜を作成すればよい．

横笛の伴奏譜は『風俗古譜』によって，笛の専門家なら造作なく作れる．

10. 風俗と比較してみた諸歌曲について

『風俗古譜』の後に附加した『三五要録』の風俗の琵琶譜による難波乃都布良江と前掲の同曲の訳譜とを比較すれば，風俗にも流派のあったこと，いいかえれば，『風俗古譜』の風俗が唯一のものでないことが窺知できると思う．

また，四首の(拍子の可測的な)神楽歌，其駒（そのこま），早韓神（はやがらかみ），早歌（はやうた），朝倉（あさくら），そして，二首の催馬楽の律歌，青柳（あをやぎ），更衣（ころもがへ）等を風俗の訳譜と比較すれば，神楽歌や催馬楽との相異もわかり，それによって，風俗なるものが一層明かになると思う．

なお，この都布良江の拍子打法は藤家流のであること，其駒，早韓神，早歌の三首は各小節の第一拍ごとに絶えず笏拍子を打ってゆくものなので，その各打を全部省略してあること，また，朝倉，青柳，更衣の三首の笏拍子打法はすべて源家流のであることに留意されたい．

(1) 難波乃都布良江の訳譜は既述のように，琵琶譜によるもので，もちろん『風俗古譜』の同曲を参照しながら書いたからこそ，この程度に訳譜できたのである．何人でも，琵琶，箏，和琴などの伴奏楽器の譜だけからは，その当面の曲の旋律の大体をも知ることは不可能である．『風俗古譜』なしには，この琵琶譜だけだったら，この程度にすら到底訳譜できなかったわけである．参考のために，その琵琶譜を添加しておいた．

(2) 其駒を二段に書いたのは，比較に都合がよかろうと思ったからで，上段の方は其駒其物の訳譜であるが，これも比較に便利だと思ったので，わざと二律即ち一音高く書いた．実際に唱われる其駒は，むろんこの譜より一音低いものである．下段の方のは，上段の旋律を風俗的音階に変更し，次に示す(1)の楽型を(2)の楽型すなわち「汰下」に変型したまでのもので，むろん，私の小細工にすぎない．だが，これによって，其駒はもと風俗であったとか，その本体は風俗であるとかいうような説が，果して信頼できるものかどうかを，判断できると思うが．

この(1)の楽型は早韓神・早歌・朝倉の訳譜のうちにも見出
される神楽歌の拍子の可測的なものにおける独特の型である.

『体源抄』に〈其駒は本体風俗なり. 而を, 一条院の御時, 朝倉, 其駒は神楽の無下に尾もなきやうなるにとて, 神楽に歌ひ具するなり. 当時は神楽なれども, 本体は風俗と習ふ也云々〉とあり. また, 同抄に〈大鳥, 其駒は如楽之破急也. 大鳥をば延歌て, 其駒をば早く歌也(後略)云々〉とあるが, この抄の風俗に関する記事は, どうかと思われるもの, そのまま受けとりかねるものがすくなくない. この条などもその一例である.

それはとにかく, 其駒は風俗よりもむしろ, 催馬楽の方に近いものだと思う. といって, 其駒はもと催馬楽なりとするのは早計であろう. 早韓神, 早歌などを主とし, それに催馬楽の三度拍子の律歌を参考し, 新たに神楽歌として作曲したものと見るのが妥当ではあるまいか.

なお, 私の風俗化してみた其駒は多少風俗らしいものになっているが, 不自然なところがすくなくないことは否定できない.

(3)早韓神　これは第四拍から始まる実にめずらしい歌曲. こんなのは風俗にも催馬楽にもまったく見られない唯一のものである. この歌の墨譜は習ったことのある人でも, 容易に正しく読めないところがある極めてわかりにくいものだ. 大袈裟な云い方だが, 一つには, 後世の万一のためにもと訳譜しておいたのをここに附加させて貰った.

最初の十六小節は独唱部で, 「わ」の字のところから斉唱である. その直後の第一拍から笛, 篳篥(ひちりき)が付ける. 和琴は独唱部の五小節目から弾き始める.

(4)早歌　実におもしろい歌だ. 歌詞はもと十一段あったそうだが, 私蔵の譜には十段しか載せてない. そのうちの第三, 第四, 第五, 及び第六段の四段の唱われるのをきいたことがない. いつごろから唱われなくなったのか, 私にはまだわかららない．なお，第二段は夏季には唱わず，第八段は冬季には唱わず，そのかわりに第九段を唱い，第九段は夏季には唱わず，かわりに第八段を唱うことになっている．

第一段の本歌全体を独唱．その末歌の初頭から斉唱．笛，篳篥（ひちりき）もそれと同時に付ける．和琴は本歌の第五小節目から弾き始める．

ちなみに，みかぐらには常に早韓神及び其駒には人長舞があるが，この早歌の舞は極秘で，滅多にまわれない．昭和の大典の際始めて私は見ることができた．それが最初であり最後でもあった．

(5)朝倉　この訳譜も其駒の場合と同様に，実際の場合のより一音高く書いた．今日つねに唱われる朝倉は拍子の不可測な，いわば閑歌（しずうた）体の歌であるが，この訳譜の朝倉は拍子の可測的な，いわゆる楽（がく）拍子の歌で，これを知っている人はきわめてすくない．昔，新嘗祭の折の行幸及び神饌の時には，この楽拍子の朝倉を必ず独唱したのだそうだが，明治以後，あるいはそのもっと以前からかわからないが，とにかく唱われなくなってしまっている．

さて，『吉野楽書』に〈あさくらは本は筑前の風俗也．清和水尾の御時神楽には被入也．又，其駒は本は催馬楽也．延喜の御時神楽には被入也(後略)云々〉とあり．また，『十訓抄』には〈朝倉是　天智天皇の御歌也．これを民ども聞とゞめてうたひ初たりける也(後略)云々〉とある．

筑前の民謡となり，やがて風俗とも称せられるに至ったのであろうが，とにかく朝倉は『風俗古譜』の風俗とはまったく別種のもので，天智天皇のその御歌に，其駒の場合と同様に早韓神等を参考し，一方に，催馬楽または風俗の五拍子型を検討して，あらたに作曲して加えたのだと見るのが妥当であろう．もちろん，筑前の国の風俗其物の旋律をそのままとって作ったものとは到底考えられない．

(6)青柳と(7)更衣　青柳は催馬楽のいわゆる律歌の五拍子物のうちの名品の一つで，もっとも短かく簡潔な歌である．更衣は律歌の三度拍子物のうちの代表的な絶品である．この両首の訳譜は『催馬楽略譜』のによるものであるから，更衣は明治撰定のそれと多少ちがうところがあるわけだ．なお，この二首の律歌の句頭，すなわち独唱部は，高い声の出せない人は，八度下方で唱ってもよいことになっていたと思う.

さて,〈催馬楽,風俗もとこれ一なり〉などと書いた文献を見るが,この二首の催馬楽を風俗と比較してみても,なるほど,五拍子,三度拍子の打法はまったく同じだが,その他の点では著しい相異があることがわかる.〈もとこれ一なり〉ならば,もっと似よったところがありそうなものだが.

■岩波オンデマンドブックス■

風俗訳譜

1961年5月29日　第1刷発行
2014年9月10日　オンデマンド版発行

著　者　山井基清（やまのいもときよ）

発行者　岡本　厚

発行所　株式会社　岩波書店
〒101-8002 東京都千代田区一ツ橋2-5-5
電話案内 03-5210-4000
http://www.iwanami.co.jp/

印刷／製本・法令印刷

ISBN 978-4-00-730137-7　　Printed in Japan

ISBN978-4-00-730137-7

C0073 ¥3200E

9784007301377

定価(本体3200円+税)

1920073032007

岩波オンデマンドブックス

岩波オンデマンドブックス

催馬楽訳譜

山井基清著

岩波書店